君康素菜/62道　目錄

殺生 就没有智慧

你殺其他的生命，其他的生命就要報復，這互相都用愚癡來起惑、造業、受果報。

想要有智慧，先要從什麼地方著手呢？先要不殺生，殺生就沒有智慧，因為你殺其他的生命，其他的生命也就要報復，這互相都用愚癡來起惑、造業、受果報；你殺牠，牠就殺你；你吃牠，牠就吃你。所以在萬佛聖城有一位教授，這位教授大概聽人家說吃齋好，就吃齋了。為什麼要吃齋呢？就因為和眾生不結冤了，不受果報。

那麼他家裏吃齋，也叫小孩子吃齋；這小孩子生來就吃齋的。然後他就灌輸她：「妳吃豬肉吃多了，就變豬；吃牛肉吃多了，就變牛；吃羊肉吃多了，就變羊；因為妳吃什麼就變成什麼，所以不吃肉，就不會變成牠們。」他這個小孩就不太佩服他這麼講話。這孩子多大呢？三歲，就問教授爸爸，說：「你說吃豬變豬，吃羊變羊，吃牛變牛，那麼吃 vegetable (蔬菜) 會不會變 vegetable 啊？」

她爸爸一聽，也不知道怎麼答覆好，就把小孩抱著，到那兒找我，問我這個問題怎麼答覆。我說：「因為豬、羊、牛都有腿，妳要殺牠的時候，牠就會跑。妳雖然把牠殺了，但是牠心裏生了一種瞋恨心，將來牠要把妳拉著也去做牠。羊就把妳拉著做羊去，豬就把妳拉著做豬去，牛就把妳拉著做牛去；所以妳跑不了的。那麼這個菜呢，你吃它，它也不會叫，也不會哭，也不會笑；它也沒有長兩條小腿，不會拔腿就跑。因為它沒有腿，不會跑，所以你吃它，大概不會變成這個菜。」

你看，中國人這個「肉」字，裏邊由兩個人組成的，這兩個人在什麼地方呢？在「口」裏頭，那口下邊那一橫沒有了，張著口，張著口在那兒幹什麼呢？吃人。「肉字裏邊兩個人，裏邊罩著外邊人」，裏邊這個人就罩著外邊那個人，這就是一個吃肉的人，一個被吃的人，所以說「眾生還吃眾生肉，仔細思量是人吃人。」

講到這兒，以前有一個人問我：「吃齋到底有什麼好處？是不是好像自己騙自己，自己上了當了？」我說：「你吃齋覺得上當了，只是活著以為上當，可是死了不上當；你不吃齋呢，活著不上當，死了上當。你把這個帳碼拉下了，你短人錢就要還錢，短人什麼就要還什麼。」由這個道理來研究，我們想要世界和平，大家要斷殺——不吃肉、不殺生——這是真正的和平；你不殺牠，牠也不殺你；你不吃牠，牠也不吃你。所以我們大家不管是什麼宗教，大家要是都能吃齋，這世界一定會和平。

說：「我多吃一點肉，營養多一點，對身體健康有益。」那麼，這真是因為肉有營養，對身體健康有益，所以才要吃？其實現在世界上食肉的人，很多人都生了癌病，為什麼？就因為眾生肉裏頭有形、無形都有一些個毒質；這些個毒質，也可說是一些冤仇所結集成的毒。這些冤仇就是互相殺，你殺我，我就要殺你；你吃我，我就要吃你！這種仇恨的毒，沒有地方發洩了，沒有地方消耗了，就互相傳遞，由畜生的身上就傳到人的身上，人的身上抵抗不了這種毒質，就生了怪病。所以，吃肉的人很多都生些奇奇怪怪的病。

早先怎麼沒有這麼多怪病啊？因為過去科學不發達，這化學、科學的毒和人心裏這種仇恨的毒，沒有碰到一起，所以毒氣沒有發作。可是現在空氣染污了，地球也染污了，水也染污了——陸、海、空都染污了，那麼人的心也在染污，畜生的肉也在染污。這染污是怎麼染污的？就是因為有這個毒素——化學的毒、科學的毒、空氣裏頭的毒、土地裏邊的毒，和水裏邊的毒，湊合在一起，這眾緣和合，就生了這麼多的怪病！

——宣化上人·1990 年開示於歐洲

編者的話

對於已經習慣科技化、舒適生活的大眾，如何做最少的改變以獲得最大的效益來抑止天候異常，是共同的話題。

一九八九年曾有人請示 宣化上人：如何保護生態系統和地球環境。上人說：「人法地，地生萬物；天覆我，地載我。」不論是動植物，皆靠天地生活；我們也是靠天地來生活。佛陀知道吃肉所產生的後果，就以無上的智慧勸導眾生要吃素。人一旦依著自己的欲望、被自己的貪心拉著走，就會破壞自然環境；所以，挽救環境最究竟的方法，就是「反璞歸真」，所謂「千里之行，始於足下」，從不吃肉起。

為了鼓勵人們吃素，上人於九〇年代特別於萬佛聖城成立「君康素菜館」，以天然純素、不用味精、不用五辛為特色，為聖城附近的居民及遠道的訪客，提供了品嚐健康可口素食的好去處。「君心仁慈禪悅為食，康泰平安法喜充滿」，上人作的這幅對聯，詮釋了素菜館的名字，也說明成立素菜館的宗旨，即是：鼓勵大眾食用清淨素菜，希望人人身體健康，精神飽滿，同時長養慈悲心，減少世界的戾氣及刀兵劫難。為此，藉著本會美國聖荷西道場——金聖寺的四眾弟子，提供拿手好菜而出版的第 4 本法界食譜，特命名為《君康素菜》，以誌上人推廣素食的深心。

法界食譜編輯小組

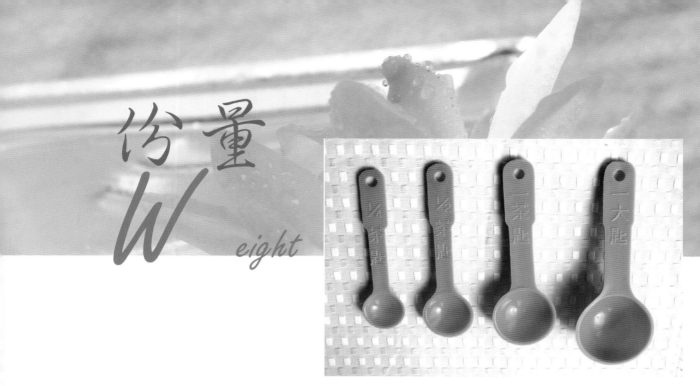

份量 *Weight*

1 台斤 = 600 公克

1 台兩 = 37.5 公克

1 公斤 = 1000 公克 = 1 台斤又 10 兩半

1 　磅 = 450 公克

1 大匙 = 15cc = 1 湯匙

1 茶匙 = 5cc = 1/3 湯匙

1/2 茶匙 = 2.5cc = 1/6 湯匙

1/4 茶匙 = 1.25cc = 1/12 湯匙

1 杯（電鍋杯）= 180cc

提味 妙方

開味、開胃，
呈現開懷好美味！
大吃、小吃，
相得益彰真好吃！

提味妙方 妙味沙茶

(調味品) (2 瓶量)

步　驟：
1. 香菇快速沖洗後，曬乾，打成粉末備用。
2. 生薑去皮，切成末。香茅洗淨，拍扁，切細，再打成細末。白芝麻炒熟，打成粉備用。
3. 花椒粉及小麥胚芽，一齊用小火，略炒香備用。
4. 鍋內放油 250 cc，開中火，入香椿，炒至香椿略酥，連油倒出備用。再入油，將香茅略炒備用。
5. 取另一個鍋，將鍋燒乾透，倒入 750cc 的油，開中火，到油溫時，將打好的薑末分梯次下鍋，並不停的攪動，莫讓薑末沉澱沾鍋，至快呈金黃色時，將火轉至最小；再將餘油下鍋，後將香菇粉倒入炒熟，芝麻粉、及步驟 3.和步驟 4.，一齊放入拌勻；最後下酵母片、黑胡椒粉、醬油膏、鹽，攪拌均勻，待涼後，即可裝罐。

叮　嚀：
1. 鹹淡依個人口味調整，但醬料需用油蓋過，才不易變質。
2. 可分裝小瓶保存。

材　料：
香菇 1/2 磅 (225 公克)
生薑 1 磅 (即老薑 450 公克)
香茅 2 支
白芝麻 1/2 磅
小麥胚芽 (Wheat Germ) 250 公克
香椿末 2 大匙

調味料：
花椒粉 1 茶匙
黑胡椒粉 2 茶匙
酵母片 (Brewer's yeast) 2 茶匙
油 1250cc
醬油膏 3 大匙 (要味道濃，可多放)
鹽 1 茶匙

飢乃加餐，蔬食美於珍味；倦然後臥，草鋪勝似重茵。

——遵生箋

提味妙方 素食美乃滋

(調味品)(1 瓶量)

步　驟：
1. 取一鋼盆，入煉乳及鹽打勻，續入葡萄籽油375cc，用電動攪拌器打至有硬度。
2. 將步驟 1.加入檸檬汁 5 大匙，稍打勻，再入少許白胡椒粉，拌勻即可。
3. 做好的沙拉醬可冷藏存放。

叮　嚀：　檸檬汁要最後放才不會失敗。(胡椒粉是調味用，不會影響成敗。)

變　化：　沙拉醬可有不同口味的變化，例如：
1. 可加入芥末醬，變成芥末口味
2. 或者加入番茄醬及少許醬油膏，又成不同的變化。

材　料：
煉乳 1/2 罐
葡萄籽油 375cc

調味料：
檸檬汁 5 大匙
鹽 1/2 茶匙
白胡椒粉 1/3 茶匙

你應該設身處地，假如你自己做了畜生，
你的肉被人家吃，你那時候會怎麼想呢？

——宣化上人

提味妙方 醒味辣醬

（調味品）（約 1 瓶量）

步　驟： 1. 將墨西哥椒（大號）洗淨，整條入油鍋中炸，然後絞碎待用。

2. 新鮮香茅切片，絞碎備用。

3. 香菇洗淨泡軟，絞碎備用。

4. 將步驟 1.2.3.混合一起煮，加糖、醬油（不可加水），以小火慢煮 10～20 分鐘，最後放麻油即可。

分　享： 宋時張奎，錢塘人，小時候到溪邊捕魚；剖之，不小心誤傷指頭。心中乃悟：我傷一指，如此痛楚；魚遭剖割，其痛何如？逐將一籃魚盡放之，常戒殺放生。後夢一人贈以大魚，乃生一子，登進士為永州太守，累世富厚。若人欲求子，或求子秀孫賢者，力行放生，必能遂意。

材　料：　　　　　　調味料：

墨西哥椒 4 條　　　糖 1 茶匙半

香菇 2 朵　　　　　醬油 1 大匙

香茅 2 枝　　　　　麻油少許

勸君勤放生，終久得長壽，若發菩提心，大難天須救。
——彌勒菩薩偈

提味妙方 慈心麻油薑

(調味品)(1 瓶量)

步　驟：
1. 薑切片，絞碎，將汁擠出備用。
2. 鍋先熱，放油，油熱放薑末。
3. 用中小火，慢慢炒薑，變成淺咖啡色即可。
4. 放入麻油，再加糖、醬油、及步驟 1.的薑汁，煮 10 分鐘即可。(不能加水) 可多做保存。

變　化：　可加龍眼乾。(熱性體質者，請酌量使用。)

分　享：　一名叫周豫的學士在烹調鱔魚時，見一母鱔總向上彎曲身體，覺得蹊蹺：剖之，發現腹中有子，才知這條鱔魚曲身避湯的原因是為護子。被此情此景感傷的他，從此再不吃鱔魚了。

材　料：
薑 500 公克
麻油 1 杯半
油 1 大匙

調味料：
醬油 1 大匙
糖 1 茶匙

16

不要一天到晚酒肉薰天，造無邊的罪業。

——虛雲老和尚

提味妙方 百頁豆腐

（1 盒豆腐的量）（食材）

步　驟：
1. 準備 2 鍋水燒開，其中 1 鍋水放入蘇打粉，另 1 鍋水放鹽備用。
2. 豆腐盒中放濕沙布 1 條備用。
3. 將冷凍百頁退冰，剪成小塊散開 (不要重疊)。
4. 將步驟 3. 放入加蘇打粉的水中，用小火，煮至乳白色 (不可太軟)；用沙網撈起，放入加鹽的水中漂一下 (不要倒入水中洗)，隨即放入步驟 2. 的豆腐盒中鋪勻包好，約 30 分鐘後成型 (不需壓)，可將多餘的水份倒掉。
5. 取出步驟 4. 已成型的百頁，入油鍋中略炸或煎即成。

叮　嚀：
自製的百頁豆腐，可代替豆腐的用途，隨意變化使用。

變　化：
自製的百頁豆腐，如果太軟可改煮成草堂豆腐。(見本會即將出版之《多國風味》)

材　料：
冷凍百頁 (或乾百頁) 1 包
蘇打粉 1 茶匙
豆腐盒 1 個

調味料：
鹽 2 茶匙

人類的結構，不論從內在或外表來看，若與動物相比較，
都充分顯示出蔬菜與水果是他的自然食物。

——林內，瑞典科學家

提味妙方 自製烤麩

步　驟：　1. 取一個鍋子，放入溫水、冷水、酵母(yeast)混合。

2. 將麵筋粉、中筋麵粉、泡打粉(Baking power)混合後，放入步驟 1. 內拌勻，放置溫室 2 小時待發。

3. 將已發好的步驟 2. 入蒸鍋，蒸 20 分鐘即成。

變　化：　做好的烤麩，可用來煎、煮、炒、炸，用途廣泛。

分　享：　製造一磅的肉，得消耗掉十六磅的玉米、小麥或其他穀類。我們應該知道，每一個吃素的人，都在幫忙儲存自然資源，並且為地球的未來貢獻一份心力。吃素的人，解放了那些被用來飼養可憐動物的土地。
　　　　　　　　　　　　　　　　——查理·莎特 (Charles A·S alter) 博士，麻州心理學家

材　料：
麵筋粉 1 杯半
中筋麵粉 1/4 杯
溫水 1/2 杯
冷水 1 又 1/4 杯
酵母 1/2 茶匙
泡打粉 1/2 茶匙

一個人如果嚮往正直的生活，第一步就是要禁絕傷害動物。

——托爾斯泰

大象救人

一九八三年三月中旬，在印度阿道尼一條河裏，一頭大象從河流的漩渦中救出三個被捲入河底的人。

這頭大象是阿道尼一家寺院飼養的，當時牠正在距這條河三英里的地方為寺院收集乾柴。這四個人要去寺院朝拜，按當地風俗，先在河中沐浴。這條河湍急，距岸一百碼處有個大漩渦，這四個人一下水即被急流衝向漩渦。大象看到後，立即奔到河中，用鼻子分別將其中三人救上岸，待牠去救第四人時，那人已被急流捲入漩渦之中。據目擊者說，大象為未能救第四人而流了眼淚。

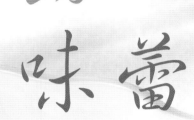

一二三，大家來吃美味餐。
四五六，吃得碗底光溜溜。

舞動味蕾 **美味拌醬**

(10 人份)

步　驟：　1. 取一個大容器，放水 1 碗，將麵筋粉慢慢地倒下，同時另一隻手慢慢地攪拌，成一糰即可，靜置 30 分鐘，切成 1 公分的厚度備用。
　　　　　2. 鍋內放油 2 大匙，將步驟 1.的麵筋入鍋中，稍煎香，後切碎備用。
　　　　　3. 鍋再下 2 大匙的油稍熱，放薑末炒香，下調味料炒香，再放 2 碗水，煮開後，將步驟 2.及香椿末放入，煮幾滾後即成。

變　化：　麵筋可用素碎末代替，亦可加入香菇、胡蘿蔔丁、豆豉等。

材　料：
麵筋粉 1 飯碗
水 3 碗 (9 分滿)
薑末 2 大匙
香椿 1 大匙

調味料：
醬油 2 大匙
醬油膏 2 大匙
油 4 大匙

吃素後，你的身體會被洗滌乾淨，
你的心靈意識會更加清楚，你和周遭的環境會更加貼近。
　　——史碧絲·威廉士(Spice Williams)，演員兼健美小姐

舞動味蕾 清涼彩絲

(5 人份)

步　　驟： 1. 洋菜洗淨，泡軟，擠乾水份，醃醬油膏 2 茶匙備用。

2. 紅蘿蔔絲、大頭菜絲用鹽 2 茶匙醃軟，擠出水份 (不能太乾)。

3. 將步驟 1.2. 放入盆中，加入小黃瓜絲及所有調味料，一齊拌勻即成。

叮　　嚀： 涼拌菜的調味料，口味要重才可口 (但若體質不適太鹹者，請酌量食用)。

小黃瓜絲要最後放，成品才會美觀。

變　　化： 可加入海帶絲或珊瑚草，別具風味。

材 料 :	調味料 :
紅蘿蔔絲 1/2 杯	糖 1 大匙
大頭菜絲 1 杯	鹽 2 茶匙
小黃瓜絲 1 杯	醬油膏 2 茶匙
洋菜 30 公克	檸檬汁 1/2 杯
	麻油隨意

你能依我的話，趕快量力買生物放生，就能增福延壽的。
——妙善大師

舞動味蕾 **開懷麵筋**

(6 人份)

步　驟：**1.** 取盆一個，放入 9 分滿碗的水，將麵筋粉徐徐放入，邊放邊攪，成糰備用。
　　　　2. 薑洗淨，切片備用。
　　　　3. 鍋燒熱，入麻油及薑片炒香；開小火，下甜醋及醬油膏備用。
　　　　4. 將步驟 **1.** 的麵筋糰，捏小塊放入步驟 **3.** 中，以慢火煮至乾即成。

叮　嚀：　做水麵筋時，麵筋粉要慢慢下，否則會太硬。

分　享：　老牌明星馬龍‧白蘭度在拍片時，就一改平常吃飯的習慣，以蒸煮的葉類蔬
　　　　　菜為主，他更自信地說：「這可增加體內所需求的維生素，使我更有精力。」
──名人素食小故事

材　料：
麵筋粉 1 碗
薑 1 大塊 (約 10 片)

調味料：
甜醋 1 碗
醬油膏 2 大匙
麻油 2 大匙

愛惜食物，就有功；糟蹋食物，就有過。

———宣化上人

舞動味蕾 開胃彩丁

(6 人份)

步　驟：　1. 鍋熱放油，用小火炸素末(不需洗)，然後加醬油、糖及一點水，讓它滾一下備用。
　　　　　2. 將全部材料放入步驟 1.炒熟，最後放青豆仁。
　　　　　3. 起鍋時，放 1 大匙辣豆瓣醬，拌勻即可。

分　享：　讓動物活著，然後不停地施打鎮定劑、荷爾蒙、抗生素，以及二千七百種其他的藥物，好讓牠們長得又肥又壯。這整個過程，甚至在牠們出生以前就已經開始，一直延續到死亡以後。你在吃肉的時候，雖然這些藥物仍會出現其中，但是法律並沒有要求將那些藥物列在肉品的包裝上。
　　　　　　　　　　　　　　　——蓋瑞與史蒂芬‧怒爾《你體內的毒藥》

材　料：
素末 1/2 杯
香菇丁 1/4 杯
蘿蔔乾丁 1 杯
胡蘿蔔丁 1/4 杯
紅椒丁 1/2 杯
青豆仁 1/2 杯

調味料：
醬油 1 茶匙
糖 2 茶匙
辣豆瓣醬 1 大匙

以人食羊，羊死為人，如是乃至十生之類，
死死生生，互來相啖，惡業俱生，窮未來際。
　　　　　　　　　　　　　　——《楞嚴經》

舞動味蕾 紅燒墨西哥椒

(5 人份)

步　驟： 1. 將墨西哥椒整條洗淨，擦乾。
　　　　 2. 鍋中放油，將墨西哥椒炸至皮變色，取出備用。
　　　　 3. 鍋中放入所有的調味料及水 1 杯，下步驟 2.用慢火紅燒至水乾即可。

分　享： 2005 年世界健美先生，亞歷山大達格(Alexander Dargatz)在最近一次專訪中，被問到如何以素食戰勝健身訓練的嚴峻考驗時表示，他於西元 2000 年瞭解到吃肉是以各種方式殘害動物與大自然後，便在「一夕之間」改成吃素，至今已經 5 年多了。他說：「當時我忍不住哭了，我們實在沒有必要食用肉製品，這樣會造成許多傷害，同時也是一種罪惡。在瞭解這個道理後，除了吃素，我別無選擇。」

材　料：
墨西哥椒 4 大條

調味料：
醬油 3 大匙
糖 1 大匙

身安茅屋穩，性定菜根香。

——《益智書》

舞動味蕾 **養生牛蒡**

（4 人份）

步　驟：　1. 牛蒡去皮，切絲備用。
　　　　　2. 將步驟 1. 泡烏醋，約 5 分鐘後，瀝乾備用。
　　　　　3. 將步驟 2. 拌入醬油膏及麻油即可。

分　享：　米莉姬是塞爾維亞米裡奇附近一個名叫波德拉瓦涅城鎮上的老壽星，今年一
　　　　　百零四歲。米莉姬年已過百，但身體壯實，眼不花、耳不聾，每天做家務，
　　　　　還放牧一百五十隻綿羊。一百多年來，米莉姬僅去過二次醫院，不是看病，
　　　　　而是接種疫苗。米莉姬有著很好的生活習慣，不吸菸喝酒、不暴飲暴食，飲
　　　　　食以素食為主。她說：「吃素，健壯了我的身體、淨化了我的靈魂。」米莉
　　　　　姬認為，現在的年輕人不注意保重身體，經常飲酒吸菸，有人還吸毒，因此
　　　　　不長壽。

材　料：
牛蒡絲 2/3 杯

調味料：
素食烏醋 2 大匙
醬油膏 1 大匙
麻油適量

將不能言語又無抵抗之動物，擯於道德仁慈之外，不能為完全文明。

——維多利亞女皇在白明罕宮所貼標語

舞動味蕾 # 南瓜豆豉

(6 人份)

步　驟： 1. 南瓜洗淨去籽，切塊備用。
2. 鍋中放油，下薑絲及豆豉爆香。
3. 將步驟 1.放入步驟 2.中略炒，沿鍋邊下半杯水及調味料，蓋上鍋蓋，用小火燜 15 分鐘即可。

分　享： 南瓜為葫蘆科，屬一年生蔓性草本植物，早在十六世紀前，北美洲及南美洲秘魯已有生產，經傳教士傳至中國南方，因此有「南瓜」之名。

材　料：
中型南瓜 1 個
豆豉 1 大匙
薑絲 1 大匙

調味料：
醬油膏 1 茶匙
冰糖 1 小塊

勿恃勢力而凌逼孤寡；毋貪口腹而恣殺牲禽。

——《朱子治家格言》

舞動味蕾 可口漬瓜

(5 人份)

步　驟：　1. 鍋中入水，將小黃瓜汆燙過，漂涼，切塊備用。
　　　　　2. 將調味料 (除檸檬汁外)混合煮滾，待涼備用。
　　　　　3. 將步驟 1.放入步驟 2.內，倒入檸檬汁，泡 30 分鐘即可食用。

分　享：　動物就像我們一樣，是個小小的縮影。牠們也會關心與擁有感覺；牠們也會
　　　　　夢想與創造；牠們也會想要冒險，對自己的世界感到好奇；牠們也會回應整
　　　　　體的榮耀。動物就是活生生的靈魂，牠們並不是東西，也不是物品。牠們會
　　　　　愛、會跳舞，也會受苦，牠們了解生命中的高峰與低潮。

　　　　　　　　　　　　　　　　　　　　　　　　　　　——《動物的靈魂》

材　料：
小黃瓜 5 條

調味料：
醬油 3 大匙
糖 1/2 杯
鹽 2 茶匙
甘草酸梅 5 顆
檸檬汁 1/2 杯

粗衣淡飯隨緣過，一日清閒一日仙。

——羅念菴

醃漬小黃瓜，有二種方法：（小菜做法）

材　料：　　小黃瓜 600 公克、鹽 1/3 杯

　　　　　　（一）

步　驟：　1.　小黃瓜整條用鹽醃，放進容器中壓緊過夜。
　　　　　2.　第 2 天，取出曬太陽，鹽水留著備用。晚上，將曬過的小黃瓜，放容
　　　　　　　器中，鹽水煮滾待涼倒入容器中再醃。
　　　　　3.　第 3、4 天，都做同樣的動作，也就是鹽水要醃過 3 個晚上。
　　　　　4.　小黃瓜不要曬太乾或太濕，適中就好，即可放入冷凍庫長期保存。

　　　　　　（二）

步　驟：　1.　小黃瓜切塊，馬上醃上鹽，曬一天。
　　　　　2.　醬油和糖煮滾稍涼後，放入小黃瓜，泡一個晚上：不能放水。
　　　　　3.　隔天，取出加麻油或辣椒即可。

叮　嚀：　　此法只可保存 2～3 天

蘿蔔乾做法：

步　驟：　1.　蘿蔔切長段，用鹽醃曬一天：晚上，搓一搓，壓緊。
　　　　　2.　第 2 天，取出再曬，晚上再加一點鹽醃。
　　　　　3.　一直到蘿蔔乾軟硬適中，即可放入冷藏庫儲存。

溫馨家常

再忙，也要闔家溫馨。
再累，也可變出美味。

溫馨家常 **香椿豆腐**

(4 人份)

步　驟：
1. 將嫩豆腐切成丁，放入濾網中。
2. 水燒開，將步驟 1.放入，煮熱，取出瀝乾水份，盛入盤內待用。
3. 將步驟 2.淋上醬油膏，撒入香椿末及素鬆即可。

變　化：　可將香椿改為酪梨，即為酪梨豆腐。

分　享：　芭芭拉‧摩爾 (Barbra‧Moore)，英國競走運動員，食療專家醫師，女子 110 英里競走世界紀錄保持者。她說：「我覺得非常愉快，我這次步行的目的，乃是想以身作則，證明唯有每餐素食的人，才會有強健、清醒和潔淨的生活！」

材　料：
嫩豆腐 1 盒
新鮮香椿末 2 大匙
素鬆 2 大匙

調味料：
醬油膏 2 大匙

今生你吃我的肉，來生我吃你的肉，禮尚往來，公平交易。

——宣化上人

(4 人份)

步　　驟：　1. 將所有調味料拌勻。
　　　　　　2. 地瓜葉將梗及葉分開燙。
　　　　　　3. 淋上步驟 1.即成（調味料待食時才拌，亦可沾食）。

分　　享：　近代高僧，印光大師開示：「世人食肉，已成習慣，但須知無論何種肉均有毒，因生物被殺時，恨心怨氣所致。人食之，雖不即時喪命，但積之既久，則必發而為瘡為病。年輕女人，大生氣後餵孩子奶，其孩每病，蓋因生氣，使母奶成毒汁故。人之生氣，非致命之痛，毒尚如此，何況豬羊雞鴨魚蝦等要命之痛，其肉之毒可想而知。人食之，無異服毒，非但增殺業，招罪報於將來，現生亦多病短命，誠甚可憐又可惜也。」

材　料：
地瓜葉 1 把

調味料：
薑末 1 大匙
鹽及油少許
檸檬汁 1/2 大匙

44

我在眾生身上都看見上帝。

——德瑞莎修女

(5 人份)

步　驟： 1. 香菇洗淨，泡軟。
2. 梅乾菜洗淨，切 1 公分長。
3. 鍋中放 3 大匙油，下薑末及香菇一齊炒香。
4. 將梅乾菜入步驟 3.中，加冰糖及醬油炒 5 分鐘，續入麵筋塊，放水蓋過菜餚，慢火，煮 1 小時即成。

叮　嚀： 麵筋塊、片，可用麵筋粉，加水調勻靜置 10 分鐘，煎好即可。

分　享： 怎樣才能戒掉吃肉的習慣？這方法非常簡單，當你想吃肉的時候，就做這樣的觀想：「那是死屍的肉，臭不可聞！」能如是觀想，就漸漸不再有心情來吃肉了。愛吃肉的人，不妨試一試這個辦法。

——宣化上人

材　料：
梅乾菜 1 顆
煎好的麵筋塊 1 碗
薑末 1 塊
香菇 5 朵

調味料：
油 3 大匙
冰糖 1 小塊
醬油少許

我肉眾生肉，名殊體不殊，原同一種性，只是別形軀。

——黃庭堅

溫馨家常 翠玉生菜

步　驟：　1. 鍋放油，轉大火，下生菜，速炒 1 分鐘。
　　　　　2. 入醬油膏，再炒 1 分鐘即可。

分　享：　佛言：「人於世間，慈心不殺，從不殺得五福。何等五？一者壽命增長。二
　　　　　者身安隱。三者不為兵刀虎狼毒蟲所傷害。四者得生天，天上壽無極。五者
　　　　　從天上下生世間則長壽，今見有百歲者，皆故世宿命不殺所致。」
　　　　　　　　　　　　　　　　　　　　　　　　　　　　——《分別善惡所起經》

材　料：
生菜 (萵苣) 1 顆

調味料：
油 1 大匙
醬油膏 1 大匙

48

人若愛惜物命，也是替天行道的善事。

——朱熹

（4～5 人份）

步　驟： 1. 將小黃瓜拍扁，切段，醃鹽備用。
　　　　 2. 素片泡軟，擠乾，醃醬油膏、油及地瓜粉備用。
　　　　 3. 鍋溫熱，下油 1 大匙，入素片，以小火煎炒，至金黃色起鍋備用。
　　　　 4. 將步驟 3. 所剩的油，下薑末炒香，續入步驟 1.，炒 2 分鐘；再入步驟 3.，炒 1 分鐘即可。

分　享： 金山活佛，他歡喜人家吃素，但是他見著人吃葷，並不板起面孔教訓人家，只是笑嘻嘻地走了攏去，帶著開玩笑的語調說：「喲，你又在吃你的老祖宗啊！」

　　　　　　　　　　　　　　　　　　　　　　　　　　　　——樂觀法師

材　料：
小黃瓜 5 條
素片 1 碗
薑末 1 大匙

調味料：
鹽 1 大匙
醬油膏 2 茶匙
油 1 大匙半
地瓜粉 1/2 大匙

一勤二儉三節約，全家老少幸福多。

——俗諺

溫馨家常 豆豉苦瓜

(6 人份)

步　驟：　1. 苦瓜洗淨，切大塊備用。
　　　　　2. 鍋中先放 2 碗水煮開，後放入苦瓜及油，用小火煮至苦瓜，瓜軟水乾 (約 1 小時) 備用。
　　　　　3. 取豆豉罐頭適量，拌入苦瓜內即可 (不需再煮)。

叮　嚀：　煮苦瓜時，可加幾片甘草，就不苦了。

變　化：　豆豉亦可用乾的代替，但須煮過。

分　享：　問：為什麼小鳥停在師父的手裏不走？宣化上人：因為我沒有殺心。

材　料：
苦瓜 2 條

調味料：
油 1 茶匙
豆豉罐頭 (約 2 大匙)

大地帶給我們的樹和草是我們的福氣；人類的嘴裏沒有沾滿了鮮血也是一種福氣。

——渥維德，古羅馬詩人

(5～6 人份)

步　驟： 1. 百頁豆腐切滾刀塊。洋菇洗淨，切厚片。番茄洗淨，切塊。義大利瓜切滾刀塊備用。

2. 鍋放油，將番茄、洋菇、百頁豆腐炒熟，加鹽、糖備用。

3. 鍋中放油少許，將義大利瓜略炒，倒入步驟 2.，淋上麻油即可。

叮　嚀： A. 義大利瓜不可炒太久。

B. 此道菜要多放洋菇才好吃。

變　化：　可加入黃色義大利瓜更為美觀。

材　料：
義大利瓜 (節瓜) 2 條
番茄 1 個
洋菇 7 朵
百頁豆腐 1 條

調味料：
糖 1 茶匙
鹽 1 茶匙
麻油適量

如果我們能學著去關愛其他的生物，就會學著去關愛自己
的同類，那我們就終於可以重拾人性了。
————法利‧莫維特(Farley Mowat)，加拿大作家

（6 人份）

步　驟：　1. 麵筋條切大塊，略煎，加糖 1/2 大匙、醬油 2 大匙、水少許，先滷好備用。
　　　　　2. 酸菜洗淨，切塊備用。
　　　　　3. 鍋中入油，下薑絲爆香，入步驟 2.，再入木耳、糖 1 大匙、素食烏醋 1 大匙炒熟備用。
　　　　　4. 將步驟 1.3.混合，略炒，淋上麻油即可。

叮　嚀：　滷味在起鍋時才放麻油。

分　享：　人類能透過少吃肥肉，多吃蔬菜和穀類，來預防許多常見的癌症。
　　　　　　　　　　　　　　　　　　　——美國科學協會《飲食、營養與癌症》

材　料：
麵筋條(麵腸)6 條
酸菜 2/3 杯
木耳 2/3 杯
薑絲適量

調味料：
糖 1 大匙半
醬油 2 大匙
素食烏醋 1 大匙
麻油適量

戒煙、戒酒、節食，健身增壽。

——俗諺

溫馨家常 稀露蘆筍

(5～6 人份)

步　驟： 1. 竹笙洗淨，用開水燙過，再洗一次即可。
2. 蘆筍切長段，放入開水燙一下，取出放入盤中做墊底。
3 平底鍋中用冷油，放入竹笙、細薑絲及水 1/2 杯，待滾後加入冰糖、鹽，
最後芶芡，淋上麻油，放在步驟 2. 上即成。

叮　嚀： 1. 炒菜，起鍋時才放鹽。
2. 此道菜不宜用鐵鍋，否則竹笙會變黑。

變　化： 可用大芥菜或青江菜代替蘆筍。亦可用金針或香菇絲代替竹笙。

材　料：
蘆筍 1 把
竹笙 8 條
細薑絲 1 大匙
地瓜粉少許

調味料：
鹽 1 茶匙
細冰糖 1 茶匙
麻油隨意

要是一個人不殺生，這個世界上就少一股戾氣；有十個人
不殺生，這個世界就有十股的吉祥氣。

——宣化上人

溫馨家常 彩燴豆腐

(4 人份)

步　驟： 1. 香菇、洋菇洗淨，切丁備用。
2. 青椒、紅椒、毛豆，燙過備用。
3. 鍋中入水燒開。豆腐切塊，下鍋煮 5 分鐘，熄火泡水中，要用時才撈出。
4. 鍋中放油少許，下步驟 1.，炒香；再入步驟 3.，加調味料煮滾，備用。
5. 將步驟 2.入步驟 4.中，拌勻即成。

分　享： 在非洲有許多雨林被砍伐，以用來放牧牛隻，這些牛隻最後被做為漢堡；吃全素每年則可以挽救一英畝的森林！

——四十四項成為全素者的理由

材　料：
中嫩豆腐 1 盒
香菇 3 朵
青椒丁 1/4 杯
紅椒丁 1/4 杯
洋菇隨意
毛豆適量。

調味料：
醬油 2 大匙
糖適量
麻油少許

窮鳥入懷，仁人所憫。
　　　　　——顏子推

溫馨家常 黃金包穀

(5 人份)

步　驟： 1. 玉米洗淨，切大塊，再切成 4 片備用。

2. 鍋內放油，下薑絲爆香，加水及鹽；再下玉米，炒 5 分鐘後，才放所有的調味料，用小火燜 15 分鐘入味後，淋上麻油即可。

分　享： 美國的火雞曾經以生命來救護一些美軍的生命，感恩節本來應該給這些火雞燒燒香、上上供、叩幾個頭，沒想到現在到感恩節這一天大殺特殺火雞，反而「我活了，你就應該死。」火雞王當初好心派一些眷屬來救人，結果卻變成牠的眷屬年年被宰殺不知多少。你看，人類的報恩就是這個樣子的！殺生的業報最為厲害。

——宣化上人

材　料：
玉米 4 條
薑絲 2 大匙
水 1 碗 (8 分滿)

調味料：
素食烏醋 8 大匙
糖 4 大匙
鹽少許
醬油 1 大匙
油 4 大匙
麻油少許

設使能戒諸殺生，諸眾恭敬成無上，
恒時無病延壽命，安樂暢適無損害。

——《地藏十輪經》

（5 人份）

步　驟：
1. 豆腐捏碎，加入醬油膏及全部的材料 A.拌勻備用。（油豆腐、青江菜除外）
2. 將油豆腐，用小刀對角劃十字，翻面，將步驟 1.填滿，入蒸鍋中蒸 15 分鐘。
3. 青江菜洗淨，略燙備用。
4. 鍋中放水 1/2 碗煮開，下薑絲、紅椒絲、鹽、糖煮滾，勾芡備用。
5. 取步驟 2.排盤，圍上步驟 3.再淋上步驟 4.，撒上少許麻油即可。

分　享：
每年有十八億飼養的哺乳動物，死於人類的口腹之欲下，連帶包括二百二十五億的鳥、雞和其他家禽，以及數兆條的魚。單單在美國，每週就有一億兩千萬隻農場動物，被殺來做為人類的食物。

材　料：
A.四角油豆腐6塊、胡蘿蔔丁 1/2 杯、香菇丁 (3朵)
　芋頭丁少許、馬蹄丁 (5個)、青豆仁少許、豆腐
　2塊、小顆青江菜適量
B.紅椒絲少許、薑絲隨意、地瓜粉 1/2 大匙

調味料：
糖 1 茶匙
鹽 1 茶匙
醬油膏 1 大匙
麻油適量

聽從你內在覺醒的聲音吧！避免肉食，
勿以殺害無罪的動物為樂！

——斯特魯威

溫馨家常 翠綠芥菜

(5～6 人份)

步　驟：　1. 鍋中放油，下辣椒、薑，炒香備用。
　　　　　2. 芥菜洗淨，切大段，入步驟 1.中，加所有的調味料及檸檬汁及水少許，燜 3
　　　　　　分鐘即成。

分　享：　芥菜，性溫，入肺、大腸經，可促進食慾、祛痰、改善胸膈悶脹。芥菜中的
　　　　　胡蘿蔔素可抑制多種致癌因素，被視為有效的抗癌蔬菜。過度疲勞以致全身
　　　　　肌肉酸痛、頭昏腦脹時，也可喝一些芥菜湯。選購時葉片呈深綠色，有光澤，
　　　　　中肋呈肥厚、幼嫩方表示新鮮。

材　料：
芥菜 1 把
薑 5 片
辣椒 3 條
檸檬汁 (1/2 個)

調味料：
醬油 2 大匙
糖 1/2 大匙

不要使你自己的胃成為動物的墳場。

——一位回教先知

古今素食名人

從最早有記載的歷史文獻中，我們可以看出素食被人類視為天然的飲食。

早期的希臘、埃及、希伯來神話中，都描寫人類原來是吃水果的。許多偉大的希臘智者，如：柏拉圖、戴奧堅尼、蘇格拉底、畢達哥拉斯等，也都極力推薦素食。

至於莎士比亞、歐維德、佩脫拉克、達文奇、達爾文、愛默生、羅素、詩人雪萊、印度詩人泰戈爾、俄國作家托爾斯泰、劇作家蕭伯納、印度總理甘地也是素食者。

現代人如愛因斯坦、保羅紐曼、查理王子、戴安娜王妃等也是熱心的素食者。

仁心宴客

快速出菜、誠意不減。
搭配得宜、回味百分。
仁心不殺、賓主俱福。

仁心宴客 宮保什錦

(5 人份)

步　驟： 1. 將豆干切片，其他的材料亦切片，大小與豆干略同。

2. 鍋燒熱，入 3 湯匙油，下薑爆香，後入乾辣椒，待辣椒變色後，放入所有的材料，一齊炒約 3 分鐘，再入醬油膏快炒，最後下腰果炒 30 秒即成。

分　享： 很多人經常費很大力氣去討論，放某些動物生存，對人、對生態是有害還是有益，卻很少人用心檢討自己的生存，對人類、社會及生態是有害還是有益。每位患者到醫院都是希望醫生無論如何要救他、醫好他，從來沒有一個人告訴醫生說：「如果你們認為我有益社會再救我（－放我生）。」人心如此「願生，怕死」，其他動物又何嘗異於此心呢？

——道證法師

材　料：
五香豆干 1 片
青椒 1/2 粒、紅椒 1/2 粒
洋菇 5 朵、蒟蒻 1/2 碗
小型沙葛（豆薯）1/2 顆
西洋芹 1 片

調味料：
薑 5 片
乾辣椒 3 條
醬油膏 1 大匙
炸好的腰果 1 大匙
油 3 湯匙

放生，除了放小動物重生之外，更重要的是放
我們的慈悲心生。

——道證法師

仁心宴客 紫圓百味

(6 人份) (中式)

步　驟 :
1. 將豆長切成與紫菜皮同長度，用醬油膏醃 20 分鐘 。
2. 取紫菜皮半張，包入 1 條豆長捲緊，封口用麵糊黏好。
3. 取 1 條步驟 2.的紫菜捲，切成 6 段待用。
4. 平底鍋入少許油，以小火將步驟 3.放入煎好，入盤中備用。
5. 取 150cc 的水入鍋燒開，放入毛豆、白果、胡蘿蔔丁煮熟，加入香茅末、鹽、糖。適量芶芡，滴上少許麻油，淋入步驟 4.即成。

材 料 :
豆長 (腐腸) 1 磅 (450 公克)
毛豆 3 大匙
白果 3 大匙
胡蘿蔔丁 1 大匙
紫菜皮 (壽司用) 1 包

調味料 :
香茅末少許
醬油膏 1 大匙
鹽、糖少許
地瓜粉 1 茶匙
麻油少許

在 97%的心臟病中，有 90%可透過吃素來預防。

——《美國醫學協會期刊》

（4～5 人份）

步　驟：　1. 素片泡水，洗淨，擠乾水份，醃入醬油膏、油、玉米粉備用。
　　　　　2. 青椒、紅椒洗淨，切塊備用。
　　　　　3. 鍋內放油，下步驟 1.略炸，取出瀝油備用。
　　　　　4. 將剩餘的油，入豆瓣醬及辣椒醬略炒，下雙椒、素片、糖、烏醋，再炒 2 分
　　　　　　鐘即成。

分　享：　在丹麥，由於第一次大戰時受到同盟國的阻撓，全國人都改吃乳蛋素食，死
　　　　　亡率意外地降低 30％以上，為二十年來的最低點。

　　　　　　　　　　　　　　　　　　　　　　　　　　　——《素食的原始資料書》

材　料：
素片 1 碗
青椒 1 顆
紅椒 1 顆

調味料：
豆瓣醬 1 大匙
素食烏醋 1 大匙
辣椒醬 1/2 大匙
醬油膏 1 大匙
玉米粉 1 大匙
糖少許

善良的心地等於黃金。
　　　　　　——莎士比亞

仁心宴客 香噴烤麩

(5 人份)

步　驟： 1. 高麗菜洗淨，切成 3 大塊，入蒸鍋蒸 20 分鐘。

2. 香菇、胡蘿蔔、烤麩分別洗淨，切塊，入油鍋中炒香，加水半杯及調味料燜 10 分鐘，後用地瓜粉苟芡。

3. 將步驟 1.排入盤中後，淋上步驟 2.，加少許麻油即成。

分　享： 永明壽大師相傳為阿彌陀佛慈悲示現。五代時大師為餘杭縣庫吏，常常因救急以庫錢買魚蝦等物命放生，後因監守自盜罪被判死刑，行刑前，大師態度從容，面不改色，錢文穆王很奇怪，便詢問他緣由，大師回答：「我因為放生，救活的生命數以千萬，趁此功德，正好往生西方極樂世界，怎能不歡喜呢？」王敬重大師德行，便釋放了他，大師自此出家為僧，念佛修行，得道證果，後世尊為蓮宗六祖。

材　料：
高麗菜中型 1/2 顆
烤麩 5 個
香菇 2 朵
胡蘿蔔少許
薑末少許
地瓜粉少許

調味料：
醬油 2 大匙
麻油 1 茶匙
冰糖 1 小塊

若欲善趣之樂，放生能得人天福報；
若欲自得寂滅，放生即得聲聞羅漢果。

———《放生功德論》

仁心宴客 同心卷

(6 人份)

步　驟：　1. 將每片豆包打開，醃入全部調味料約 1 小時。

2. 每張紫菜剪一半備用。

3. 取步驟 1. 一片平放，鋪上步驟 2. 一片，捲緊。

4. 再取一片豆包平放，上面放紫菜一片，再將已捲好的步驟 3. 疊上，再捲緊。

5. 可做成 5 條，完成後，入蒸鍋蒸 20 分鐘即可。

變　化：　亦可炸。

材　料：
紫菜 5 張
豆包 10 片

調味料：
醬油 1/2 杯
糖 1 大匙
薑末 1 大匙

禁絕肉食就是遠離罪惡，重拾純真。
——塞尼加（Seneca），著名文學家

仁心宴客 **百香雙拼**

(6 人份)

步　驟： 1. 鍋中放油，以中溫入香菇、冰糖、醬油、水一起滷好備用。
　　　　 2. 滷百頁豆腐，做法與步驟 1.相同，(如有多餘的香菇滷汁，可加入同滷)，滷好後，才淋上麻油。
　　　　 3. 將滷好的香菇及百頁豆腐，切斜片備用。
　　　　 4. 盤底放生菜後，將步驟 3.排在生菜上即可。

叮　嚀： 不論滷任何滷味，必須分開滷才會好吃。

分　享： 很多牲畜飼養的過程當中，有的就已經患有嚴重的癌症了。當這些牲畜被宰殺之後，那一些帶著疾病的細胞，大部份都沒有被發現，而賣給了家庭主婦，煮成桌上的佳餚，然後全家人吃得津津有味。

——《飲食與健康》

材　料：
香菇 10 朵
百頁豆腐 2 條
生菜適量

調味料：
醬油 1 大匙
冰糖 1 小塊
水 1/2 杯
麻油少許

80

我們祈禱上帝慈悲，自己就該做一些慈悲的事。

——莎士比亞

塔層素粒

（6 人份）

步　驟： 1. 素粒用冷水泡 3 小時，擠乾水份後，醃醬油膏，泡一個晚上，入味備用。
　　　　 2. 第二天將步驟 1.撒上麵粉，輕輕地用雙手拌一拌，才入油中，炸好備用。
　　　　 3. 鍋中入油，將九層塔炒好，起鍋備用。
　　　　 4. 鍋中放入烏醋、胡椒粉、麻油、醬油膏稍滾後，就可芶一點芡，馬上
　　　　　　放入九層塔及素粒，拌一下就可起鍋。

叮　嚀： 九層塔要翠綠，就要用油一炒馬上起鍋。

變　化： 素粒可改用素片，亦可加入青椒、紅椒同炒，又是另一道美味的菜餚。
　　　　 可用玉米粉代替麵粉。

材　料：
素粒 2 杯
九層塔 1 把
麵粉 2 大匙
地瓜粉適量

調味料：
素食烏醋 2 大匙
胡椒粉少許
醬油膏 2 大匙
麻油少許

只要有屠場，就會有戰場！

——托爾斯泰

仁心宴客 金烏芥菜

（6 人份）

步　驟： 1. 金針洗淨，用開水汆燙，去掉味道後，鍋中放油；油不要太熱，放入金針、
冰糖 1 茶匙、醬油 1/2 大匙、水一起滷；滷好後，才放麻油。
2. 香菇用醬油 1 大匙、冰糖 1 茶匙半，滷好備用 (作法同步驟 1.)。
3. 鍋中入冷油，將大芥菜入鍋，略炒，後放冰糖 1 茶匙半、醬油 1/2 大匙、水、
薑及步驟 2.多餘的滷汁，一起滷好備用。
4. 將步驟 1.2.3.混和即成。

叮　嚀： 1. 滷菜，要先放醬油、冰糖、水、油，最後才放菜，這樣菜才會甜。
2. 煎或炸時鍋先熱，才放油；油熱後，才放東西，這樣才不沾黏鍋。

材　料：
金針 1/2 杯
香菇 5 朵
大芥菜 1 把 (約 1 磅)
薑 1 塊

調味料：
醬油 2 大匙
碎冰糖 4 茶匙
麻油隨意

我對人權和動物權益一樣重視，
這也應是全體人類該有的共識。

——林肯

仁心宴客 薑爆金箔

(6 人份)

步　驟：　1. 素粒洗淨，泡軟，擠乾，用醬油醃 30 分鐘。

2. 把鐵鍋燒熱至乾透才不易沾鍋，後熄火 2 分鐘。再開中火，放油及薑絲略炒；加入素粒慢慢翻炒，至素粒呈金黃色時，淋上醬油膏；開大火，快快翻炒幾下即成。

分　享：　莫雷 · 羅斯 (Murray Rose) 澳大利亞六枚奧運金牌得主，他兩歲開始吃素。年僅十七歲參加 1956 年墨爾本奧運會並取得了三塊金牌，曾多次打破世界記錄，包括 400 和 1500 米自由游等，被譽為歷史上最偉大的游泳運動員之一。

材　料：
素粒 2 杯
薑絲 2 大匙

調味料：
醬油膏 1 大匙
醬油 1 大匙
油 2 大匙

人類所必須的營養當中，沒有一樣是只能在肉類食品中找到，卻不能由蔬果當中攝取的。

———約翰·哈維凱·洛格醫師(John Harvey Kellogg)

仁心宴客 黃金碧玉卷

(2 條量)

步　驟： 1. 豆腐捏碎，拌入所有調味料備用。
2. 芋頭去皮，洗淨，切絲。胡蘿蔔切小丁備用。
3. 將步驟 2.拌入步驟 1.內備用。
4. 取新鮮腐皮 1/4 張置桌面上，將步驟 3.取 1/4 的量鋪成長條狀，再鋪紫菜 1/2
張，再鋪一層步驟 3.豆腐，捲緊，入蒸鍋中蒸 20 分鐘即成。

叮　嚀： 此道菜只可冷藏，不可冷凍。
若沒有新鮮腐皮，可用乾腐皮代替。

材　料：
豆腐 (越式) 1 塊
芋頭 1/4 顆
胡蘿蔔 1/2 顆
新鮮腐皮 1/2 張
紫菜 1 張

調味料：
鹽 1/2 大匙
糖 1/2 大匙
胡椒粉適量
麻油等隨意

夫豆腐者，實植物中之肉料也。
此物有肉料之功，而無肉料之毒。

———孫中山

仁心宴客 富貴腐皮包

(5 人份)

步　驟 : 1. 芋頭洗淨，切大丁。馬蹄去皮，洗淨，切成 4 塊。洋菇洗淨對切，素粒、釦子菇洗淨，泡軟備用。

2. 將所有材料(除新鮮腐皮)，全部入鍋內，加入所有調味料紅燒，煮熟備用。

3. 新鮮腐皮半張對摺，沾水，置碗中，將步驟 2.，瀝出水份，鋪入包好備用。

4. 將步驟 3.所瀝出的水份，芶芡備用。

5. 取盤一個，將步驟 3.倒扣至盤內，旁邊排燙熟的綠花菜及新鮮番茄，淋上步驟 4.即成。

叮　嚀 : 若沒有新鮮腐皮，可用乾腐皮代替。

材　料 :
芋頭中型 1/4 顆
馬蹄 (荸薺) 5 個、素粒 6 個
新鮮腐皮半張、釦子菇 5 個
洋姑 5 顆、綠花菜 4 小朵
番茄 1 顆

調味料 :
醬油 2 大匙
鹽 1 茶匙
水 1 碗半
麻油少許

我從 2001 年開始吃素，主要原因是動物是我們的朋友，
我不忍心殺害牠們。

——優質大豆樂隊

(5～6 人份)

步　驟：
1. 新鮮腐皮沾熱水，摺成 5 公分寬 10 公分長備用。
2. 鍋中放油，入步驟 1.，煎成金黃色，取出備用。
3. 芥藍洗淨，入滾水中，燙熟備用。
4. 將步驟 2.中剩餘的油，入金針菇、胡蘿蔔絲、薑絲炒熟，續入所有調味料，苟芡備用。
5. 盤中墊步驟 3.，再將步驟 2.排入，最後淋上步驟 4.即成。

變　化：　可用豆包代替新鮮腐皮。

材　料：
新鮮腐皮 1 張半
芥藍 1 把
金針菇 1/2 包
胡蘿蔔絲少許
薑絲 1 湯匙

調味料：
油 3 大匙
醬油膏 1 大匙
糖 1 茶匙
水 2 大匙
地瓜粉少許

粗茶淡飯身體好，豁達樂觀壽自高。

———古諺

(1 條)

步　驟： 1. 將素碎末泡軟，擠乾，放入碗內，加入麵筋粉及調味料，揉勻約 5 分鐘，做成一長條備用。

2. 將白布泡水，扭乾 (不能太乾) 打開，將做好的步驟 1. 放入，捲緊；蒸 1 小時取出，馬上打開；待涼後，切片即可。

叮　嚀： 圓片即素漢堡餡。

變　化： 白布可改成荷葉，另有一番風味。

材　料：
白布 1 條約 1 尺半長
素碎末 2 碗
麵筋粉 1 小碗 (8 分滿)

調味料：
沙茶醬 2 大匙
香椿醬 1/2 大匙
五香粉適量
黑胡椒粉隨意
醬油膏 2 大匙
糖少許

我並不是基於健康的因素才吃素！成為全素者，是基於道德的因素。素食主義絕對會變成全人類的運動。

──迪克‧葛列格裏，清教徒與人權領袖

仁心宴客 劍筍烤麩

(5 人份)

步　驟：　1. 香菇泡水，洗淨，切塊。劍筍用開水，煮過備用。烤麩撥塊備用。
　　　　　2. 鍋內入油，將烤麩煎過，下醬油膏及水 1/2 杯，煮至水乾，取出備用。
　　　　　3. 鍋內續入油，下香菇爆香，再入劍筍、醬油、冰糖，沿鍋邊下水 1 杯滷透備用。
　　　　　4. 將步驟 2.3.混合，淋上麻油即成。

變　化：　劍筍可用新鮮的代替。

材　料：
香菇 5 朵
劍筍 1 罐
烤麩 8 個 (1 盒)

調味料：
醬油 2 大匙
醬油膏 2 大匙
冰糖 1 塊
麻油適量

重仁慈不重武力，勿貪口腹、見利忘義，則殺心不起；殺
機若息，劫運潛消矣！

——虛雲老和尚

蟑螂寶寶死了，牠媽媽會傷心

我有一個朋友，她的女兒才上幼稚園，這孩子長得非常可愛，生性很仁慈，她把家裏的各種小動物，都當成是她的好朋友，她常常拜託爺爺、奶奶不要踩死蟑螂寶寶。

有一天他的爺爺不理會她的拜託，又把浴室裏的蟑螂踩死了，沒想到這小女孩就嚎啕大哭說：「蟑螂寶寶只是出來散步，你為什麼把牠踩死呢？牠家的蟑螂爸爸媽媽、蟑螂爺爺奶奶都會傷心死了！」說完，小女孩就又哭個不停，真是如喪考妣，就好像失去了摯親好友一般。

她的爺爺奶奶無可奈何，只好安慰她說：「唉呀，不會啦！不會啦！」她聽了，竟然非常嚴肅而且義正詞嚴地說：「難道我死了，你們都不會傷心嗎？」大家聽了都楞住回答不上來。

——道證法師

如意湯品

咕嚕嚕，隨心變化，溫馨又暖胃；
呼嚕嚕，心滿意足，養生又美味。

如意湯品 **可口元寶湯**

(5～6 人份)

步　驟： 1. 將滾開水 1 杯沖入材料 A.中，待稍涼揉勻，醒 20 分鐘備用。

2. 油入鍋，將材料 B.入油鍋中，炒香備用。

3. 將步驟 1.分成小塊狀，擀成圓型，包入少許步驟 2.的餡備用。

4. 鍋中入高湯（作法：見法界食譜 1《菜根飄香》第 16 頁）煮開，入步驟 3.煮滾，下材料 C.即成。

分　享： 人類逐漸進化的過程中，不再吃葷是宿命的一部份；就像以前野蠻民族接觸文明生活後便不再吃人肉一樣的道理。

——梭羅 (Henry David Thoreau)，美國詩人兼短文作家

材　料：

A.中筋麵粉 2 杯、油 1 湯匙

B.胡蘿蔔末、黑木耳末、榨菜末、香菇 2 朵切末

　素圓片 (見 94 頁福慧圓片) 5 片切末

　油、醬油膏少許

C.香油適量、中國芹菜末、胡椒粉各少許

調味料：

高湯

糖、鹽隨意

我的朋友們，不要為了罪惡的食物而沾染你們
的身體。

——畢達哥拉斯

(6 人份)

步　驟：
1. 香菇洗淨，泡軟，切塊。番茄洗淨，切大塊。素粒洗淨備用。
2. 將材料 A.及調味料，煮開備用。
3. 將材料 B.煮水約 1 小時。
4. 將步驟 3.倒入步驟 2.中，一齊用慢鍋煮 2 小時即可。

變　化：　此湯可下麵條，即成紅燒麵。

分　享：　我們讀醫學院，在大學二年級的時候要研究「人體解剖學」，很多同學都自然不敢吃肉，為什麼呢？動物的肉和人肉實在太像了！在解剖檯解剖屍體下來，再去自助餐店看到肉，無論平常多愛吃肉的人，都沒胃口，總覺得和檯上的人體肌肉、內臟、形狀、味道都一模一樣。

——道證法師

材　料：
A.番茄 4 個、水 4 杯、香菇 5 朵、素粒 10 顆
B.咖哩葉 5 片、肉桂 2 小塊、八角、花椒粒
　胡椒粒各 1 大匙、辣椒乾適量、薑 1 塊拍扁

調味料：
醬油 2 大匙、冰糖隨意

四海承風，暢於異類，鳳翔麟至，鳥獸馴德，
無他也，好生之故也。

——孔子

(6 人份)

步　驟：1. 冬瓜洗淨，去皮，切塊備用。扁尖筍洗去表面鹽份，切段備用。竹笙泡鹽水
　　　　　洗淨，切段備用。釦子菇洗淨，泡軟備用。
　　　　2. 鍋中放高湯，下釦子菇、扁尖筍、竹笙，以中火煮約 30 分鐘：放入冬瓜，再
　　　　　煮 15 分鐘，最後撒下薑絲及調味料即成。

叮　嚀：　扁尖筍含鹽，煮時可視扁尖筍量多寡，斟酌是否加鹽。

分　享：　高纖維食物可節食減肥：在你的節食菜單中，如以高纖維含量的食物為主，
　　　　　即可輕而易舉地消除多餘體重，且可獲得健康的效果。多吃水果蔬菜及全粒
　　　　　穀物，少吃脂肪與精製的澱粉或白糖，即可增加飲食纖維攝取量。
　　　　　　　　　　　　　　　　　　　　　　　　　　　　　　　──《農業周刊》

材　料：
冬瓜 1 塊
扁尖筍 6 條
釦子菇 8 個
薑絲 2 大匙
竹笙 5 條

調味料：
高湯 4 碗
冰糖適量

放生，也就是本著你的慈悲心來做一件事情。
你真正有慈悲心，和萬物都同體了。

——宣化上人

(6人份)

步　驟： 1. 鍋中入油，下香菇、芋頭，炒香備用。
2. 將糯米粉、菱粉，加所有的調味料，拌勻備用。
3. 將步驟 1.及胡蘿蔔丁、芹菜丁拌入步驟 2.中備用。
4. 將步驟 3.捏小圓球，放入抹油盤中，蒸 10 分鐘備用。
5. 鍋中入高湯 3 碗（高湯作法：見法界食譜 1《菜根飄香》第 16 頁），煮開後，
　　下步驟 4.，撒上芹菜末及香油少許即成。

材 料：
糯米粉 3/4 碗
菱粉 1/2 包
胡蘿蔔丁 1/2 碗
中國芹菜丁 1/2 碗
芋頭丁 1 碗
香菇丁 (5 朵)

調味料：
鹽 2 茶匙
糖 1 茶匙
胡椒粉 1 茶匙
高湯 3 碗

孩子在成長過程中，倘若未能學到以愛心對待
動物的觀念，將來可能造成其人格及行為發展
的偏差。

──歐美研究報告

如意湯品 圓滿砂鍋

（4 人份）

步　驟：　1. 大白菜洗淨，切大片。香菇洗淨，切大塊。粉絲泡水備用。番茄切片。芋頭
　　　　　　炸過。
　　　　　2. 鍋燒熱，放油，下香菇炒香，續入大白菜炒 2 分鐘，加入適量水。
　　　　　3. 將步驟 2.移入砂鍋內，放入其他材料，粉絲最後放入，煮熟即成。

叮　嚀：　待食時才入茼蒿。

變　化：　材料亦可隨自己歡喜變化。

材　料：
大白菜半顆、香菇 3 朵、油豆腐 1 大塊
芋頭 1/2 碗、粉絲 1 把、番茄 1/2 個
茼蒿適量、薑 5 片

調味料：
隨自己喜好而入，沾料亦同。

抽菸、喝酒、吃肉，往往是構成一套極壞的習慣。這三種
可怕的習慣將招來很大的不幸與貧困。

——希爾斯

養顏補氣湯

如意湯品

（5 人份）

步　驟：
1. 黑豆洗淨，泡一夜備用。
2. 鍋內放黑麻油，下素粒（泡開，瀝乾水份），炒至金黃色備用。
3. 燉鍋內放水 5 碗，將步驟 1. 2. 放入燉 2 小時，起鍋前 30 分鐘，下桂圓肉，加鹽即成。

叮　嚀：　熱性體質，請適量食用。

分　享：　金山活佛，他有個與人不同的習慣。如果請他吃飯，千萬別說是素雞、素鴨、素魚、素火腿；他聽了這些名字，是不會下筷的，寧可吃白飯。人家向他解釋，是豆腐做的，不是真正的雞、鴨、魚、肉；是假名，不要執著。他說的話才妙哩！「我不是怕吃這些菜，而是怕你那個殺心、貪心，如果你心裏沒有雞鴨魚肉的念頭，何能做出這些東西出來？」　　　　——樂觀法師

材　料：
黑麻油 1 大匙
青仁黑豆 1/2 杯
桂圓肉 1/2 碗
素粒 8 顆

調味料：
鹽 1 茶匙

素食主義其實就是一種心靈革命，素食亦是「放
下屠刀」的一種形式，對於自己的精神宣示不再
沈淪於物質的深淵。

——黃怡 (資深記者、作家)

羚羊的母愛

一位獵人追殺一隻羚羊時，將牠逼向懸崖，使其走投無路。

突然，這隻羚羊不再奔跑，回頭面對獵人跪下了。「奇怪，動物還會求生？」獵人思忖著，但他並未因之而動惻隱之心，依然將近在咫尺的羚羊打死。拖著獵物回到住地，解剖時，發現這隻羚羊的腹中竟有一個胎兒。

獵人怔住了：「這是一個即將生產的母親！難怪牠跪下求饒，原來是為了保全孩子的性命！」獵人的鐵石心腸被感動了：「我幹什麼呀？真是禽獸不如！」終於，獵人丟掉獵槍，洗手不幹。

飯飯相映

米香、菜香、和合最香
可主、可副、變化最多

飯飯相映 沙茶炒飯

步　驟：
1. 鍋燒乾透，熄火 2 分鐘。
2. 入油，重開中火，入芋頭丁、胡蘿蔔丁，炒熟。
3. 將青豆仁及玉米粒，入步驟 2.中，略炒，續放入醬油膏、沙茶醬、飯，用中火炒 5 分鐘；起鍋前，加入松子和少許麻油，略炒即可。

叮　嚀： 鍋要燒乾透，飯才不易沾黏鍋底。

分　享： 麻省理工學院的一篇報告中提到，維他命 C 和 E，以及一種叫做靛基質的化學物質，可以在包心菜、球芽甘藍以及十字花科有關的蔬菜中找到 ——它們正是特定致癌物質的安全潛在抑制劑。

材　料：
飯 6 人份
芋頭丁 1/2 碗
胡蘿蔔丁 1/2 碗
玉米粒 1/2 碗
松子 1/2 碗
青豆仁 1/2 碗

調味料：
醬油膏 1 大匙
沙茶醬 2 大匙
麻油少許

一粥一飯，當思來處不易。

——朱用純

飯飯相映 什錦燴飯

(6 盤)

步　驟：
1. 將香菇，泡軟，洗淨，切片待用。
2. 鍋燒熱，入油，下香菇炒香，加入其他材料一齊炒 2 分鐘；後入所有調味料，略炒；再入一碗水，煮熟芶芡。
3. 將一碗飯扣入盤中，取步驟 2.的 1/6 淋上，即成。（可作成 6 盤）

變　化：　可放入自己喜歡的菜蔬，作法略同。

分　享：　我用餐時，常準備好幾種美味可口的素食，所以我從來沒想到要食肉。事實上，由於多年來在實驗室研究畜類的種種疾病，和臨床見到病人的疾病很多是因食肉而引起，使我素食的心更為堅決，深信終此餘生再不會葷食了！

——奧雲伯列，醫學博士

材　料：
青花菜 (西蘭花)半顆
白花菜 1/4 顆
金針菇少許
胡蘿蔔 1/2 條
蒟蒻 6 片、香菇 3 朵
素片 6 片、洋菇 3 朵

調味料：
素食烏醋 1 大匙
醬油膏 1/2 大匙
鹽適量
糖適量

人既愛其壽　　生物愛其命
放生合天心　　放生順佛令
　　　　　　——憨山大師放生偈

（約 12 個）

步　驟：
1. 圓糯米泡水 2 小時後，瀝乾備用。
2. 將香菇、胡蘿蔔洗淨，切丁；與青豆仁、玉米粒，入油鍋中炒香，加醬油膏備用。
3. 荷葉泡軟，洗淨，瀝乾備用。
4. 取平底鍋一只，將步驟 1.倒入抖平，加冷水將糯米蓋滿；若不夠爛，可再加多一點水，蓋上蓋子，以小火燜熟，續入步驟 2.拌勻。
5. 荷葉 1/2 張，包入步驟 4.適量糯米飯，全部包好後，入蒸鍋，蒸 20 分鐘即成。

叮　嚀：　荷葉飯外出攜帶方便。

材　料：
圓糯米 5 杯
香菇 5 朵
胡蘿蔔丁隨意
青豆仁隨意
玉米粒隨意
荷葉 1 包

調味料：
醬油膏 1 杯半

素食，對我們的頭腦、行為、健康和體力都具有深遠的影
響。除非我們停止殺生，否則我們還算是野蠻人。

　　　　　　　　　　　　　　　　　　　　　　——愛迪生

（6 人份）

步　驟： 1. 將材料 A.中的薏仁、芡實洗淨，先泡水 1 小時。再將其餘的洗淨備用。
2. 鍋中入水 7 杯，下步驟 1.，大火煮滾後，轉中小火，慢慢煮（要隨時攪動，以免底部燒焦，如果太稠可加適量的開水）。
3. 步驟 2.約煮 1 小時 30 分後，下材料 B.煮滾，最後加調味料即成。

叮　嚀： 蓮子不用先泡水，泡過水的蓮子會煮不爛。

分　享： 芡實可補中益氣、滋養強身、健脾止瀉，也能緩和腹瀉、神經痛、風濕骨痛、腰膝關結痛等症狀。芡實有較強的收斂作用，因此便秘、赤尿及產婦都不宜食用。

材　料：
A.五穀米 1 杯
　淮山、芡實、蓮子、薏仁、腰果等各 1 大匙
　豆包 3 片切末、薑末 2 大匙、水 7 杯
B.麥麩 1 大匙、胡蘿蔔丁、青豆仁、海帶芽、玉米粒等隨意
調味料：
碎冰糖 2 茶匙、鹽 2 茶匙、胡椒粉隨意

對我而言，羔羊的生命和人類的生命一樣地珍貴，我可不
願意為了人類的身體而取走羔羊的性命。

———甘地

智者大師的放生池

智者大師相傳為釋迦牟尼佛乘願再來。

隋陳時代，大師見臨海漁民捕魚殺生，大起慈悲，以襯施買臨海漁滬一所作放生池，兼為漁民講經說法，漁民聞法後率皆改行轉業，好生從善。並獻臨海江滬溪梁六十三所，達三四百餘里，全部作為放生池，是我國有史以來最早的大規模放生，所救活的物命數以億萬計。現在的西湖，就是大師當年所創的古放生池。

傳統點心

經歷了五湖四海，自認
世界一家；但是，你的
胃說：「還是小時候的
味道最令人懷念！」

（約 10 個）

步　驟：
1. 香菇泡水，洗淨，切丁，入油鍋中炒香；續入素碎末，加醬油、糖，紅燒備用。
2. 地瓜粉先溶於 2 碗水中。
3. 菱粉以 8 分滿碗的水溶化備用。
4. 鍋中入 1 碗半的水燒開，倒入步驟 3.的菱粉水，一邊倒一邊攪動，煮至呈透明，熄火。
5. 將步驟 2.的地瓜粉水拌勻，快速倒入步驟 4.中拌勻，呈黏稠粉漿備用。
6. 取小碗 1 個，先裝 1 大匙的步驟 5.，再放入步驟 1.的餡(隨意)，及適量的筍茸，最後再鋪上 1 大匙的步驟 5.。
7. 全部完成後，入蒸鍋蒸至透明，取出，淋上甜辣醬即成。

叮　嚀：　菱粉水要煮熟才不會失敗。

材　料：
皮：地瓜粉 1 包約 400 公克
　　菱粉 70 公克
餡：即食筍茸 1 罐
　　香菇 5 朵
　　素碎末 1 碗
　　碗約 10 個

調味料：
甜辣醬隨意
醬油適量
糖適量

乃至一切有命者，不得故殺。
———《梵網經》

傳統點心 中式米紙

(約 12 個)

步　驟：
1. 大頭菜去皮，切絲，用鹽醃軟，加油及糖，炒熟備用。
2. 香菇泡軟，切絲，五香豆乾切絲，一齊入油鍋中，加醬油膏，炒香備用。
3. 胡蘿蔔切絲，炒熟備用。
4. 取一鍋溫熱水，將越式米紙一張，用雙手拉住，放入水中燙約 1 分鐘取出，放在濕毛巾上，包入步驟 1.2.3.及薄荷葉一片，捲緊即成。

叮　嚀：　作好的米紙不能放隔夜，會變很硬。

變　化：　大頭菜可改用合掌瓜。

材 料：
越式米紙 1/3 包、大頭菜 1 顆
胡蘿蔔 1/2 條、香菇 3 朵
五香豆乾 1/2 包
新鮮薄荷適量或是生菜均可
濕毛巾 1 條

調味料：
鹽 1/2 茶匙
糖 1/2 茶匙
醬油膏 1 大匙
油隨意

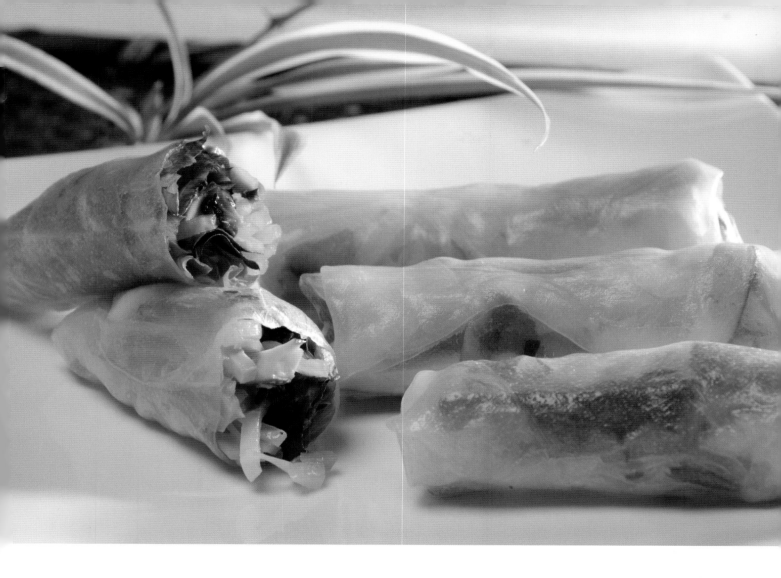

我二十二、三歲的時候開始吃素。因為有一次我去巴黎，穿過個叫黑利斯的市場，看到一排一排的動物死屍，就這樣我開始吃素了。從此之後，再也不沾肉食。

——坎娣絲·伯根（Candice Bergen），演員

傳統點心 懷鄉粿粽

(15 個)

步　驟：
1. 粽葉洗淨，晾乾。
2. 炒熟花生去皮後，打碎備用。
3. 油鍋入薑末爆香，下酸菜炒 5 分鐘備用。
4. 將步驟 2. 3. 一起混合，加糖 2 大匙拌勻。
5. 將新鮮鼠麴草葉煮 10 分鐘，待涼取出，瀝乾水份，切碎備用。
6. 取溫水 1 碗半、加油 2 大匙、糖 2 大匙，續入步驟 5. 及糯米粉，拌勻，揉成糯米糰，至不黏手即可。
7. 將步驟 6. 分成 15 份，取一份包入步驟 4. 呈圓球型，沾少許油備用。
8. 粽葉一片包入步驟 7. 一份，呈粽子型，用繩子綁緊。
9. 將步驟 8. 全部做完後，入蒸鍋，蒸 30 分鐘即成。

叮　嚀：
1. 每 10 分鐘開蓋子一次，粽子才不會裂開。
2. 糯米糰如果黏手，應再加少許糯米粉及油。
3. 花生可買現成的，也可自己炒。

材　料：
粽葉 1 包、糯米粉 4 杯
炒熟花生 1/2 杯、酸菜末 1 杯
鼠麴草適量 (如果買不到鼠麴草，可用艾草代替。)

調味料：
油 2 大匙
糖 4 大匙
薑末適量
溫水 1 碗半

我不需要殺生，或要別人殺生，另一個生命便是我最大的支柱。
——克理斯‧坎伯（Chris Cam Dbell），美國奧林匹克獎得主

步　驟：　1. 黑芝麻洗淨，炒熟，磨碎備用。
　　　　　2. 花生用鹽炒熟，去掉鹽份，打碎備用。
　　　　　3. 將步驟 1.2. 混合，拌入糖，蒸 4 小時即可。

叮　嚀：　每日食用 1～2 大匙，可補腎虛，強身。

分　享：　據科學家對各項運動員和勞動工人所作的調查結論，素食者比肉食者更能承
　　　　　受長時間的辛苦工作，這種耐力的對比將近三倍；而從疲勞恢復體能的時間，
　　　　　素食者約為肉食者的五分之一。

材　料：
黑芝麻 1 包
花生 30 公克

調味料：
糖 2 大匙

許多人對動物的漠視、無情和輕蔑態度是邪惡的，首先
是因為這樣的態度造成動物極大的痛苦，其次則是因為
這種態度造成人類心靈極大的損傷。

——艾西立‧蒙特格

步　驟： 1. 米洗淨，放漏盆內，入開水中泡 2 分鐘，瀝乾。

2. 取步驟 1. 的泡米水，適量，將紫菜泡散開呈泥狀。

3. 鍋中用麻油爆香薑末至金黃色，放入步驟 1.2. 及鹽，加水 1/2 杯拌勻，入電鍋中煮熟。

4. 將步驟 3. 取出，放入抹油容器內，壓緊，蒸 20 分鐘即可。

5. 步驟 4. 待涼後，抹上醬油膏、甜辣醬、花生粉，最後撒上香菜，再切塊即可。

材　料：

糯米 2 杯
紫菜 3 片
香菜少許

調味料：

薑末 1 大匙
麻油少許
鹽 2 茶匙
醬油膏隨意
甜辣醬隨意
花生粉隨意

所有證明人類較為優越的論調都不能改變這個事
實：動物和人類一樣能感受到痛苦。

——彼得・辛格(Peter Singer)

(12～15 個)

步　驟：
1. 芋頭洗淨，去皮，切大丁備用。香菇洗淨，泡軟，切丁備用。
2. 鍋中放油，下香菇丁及芋頭丁炒香，加入所有調味料，起鍋備用。
3. 取一鋼盆，放入糯米粉、粘米粉拌勻，將步驟 2.倒入，加水 1 碗，調勻備用。
4. 取一平盤，置糯米粉 3 大匙，從步驟 3.中取一小糰粉漿，放入盤中沾少許粉，捏成半月型，放入抹油盤中，蒸 20 分鐘，取出待涼，表面抹上少許油即可。

分　享：　古時候，有個名為秦西巴的大將，用車運載一幼鹿出山，回頭發現總有一母鹿隨後哀啼，秦知其為母子，不忍傷害骨肉之情，就把小鹿放掉了。

材　料：
中型芋頭 1/2 個
香菇 5 個
糯米粉 1/2 包（留3大匙備用）
粘米粉 5 大匙
水 1 碗

調味料：
油 2 大匙
鹽 1 小匙
糖 1 小匙
醬油膏 1 大匙
胡椒粉適量

所謂「如是因，如是果」，種善因得善果，種惡因得惡果，
這是天經地義的定律。

——宣化上人

蜜芋甜點

(6 人份)

步　　驟：　1. 芋頭洗淨，去皮，切大塊。
2. 冰糖、黃糖泡入 4 杯水內，溶化備用 (約 15 分鐘)。
3. 將芋頭放入步驟 2.中，用大火，煮至水開 5 分鐘後：改中火，再煮 40 分鐘。
4. 水煮開，下蓮子，用中火煮 20 分鐘，熄火，再燜 20 分鐘，瀝乾水份備用。
5. 紅棗加少許水，入蒸鍋，蒸好備用。
6. 將步驟 4.5.放入步驟 3.內即成。

叮　　嚀：　　乾蓮子不能泡水，否則，煮不鬆軟。

材　料：	調味料：
芋頭中型 1 個	冰糖 2 大塊
蓮子 1/2 杯	黃糖 (二砂) 1 杯
紅棗 1/2 杯	

任何大人物的章飾，無論是國王的冠冕、攝政的寶劍、大將
的權標，或是法官的禮服，都比不上仁慈那樣更能襯托出他
們的莊嚴高貴。

——莎士比亞

傳統點心 **手拉麵片**

(4 人份)

步　驟： 1. 高筋麵粉加水拌均勻，放入冰箱，醒過夜備用。（這樣更 Q，口感更好。）
2. 鍋中高湯煮開，將步驟 1.撕成一小片、一小片，放入。
3. 大白菜洗淨切中段，豆皮切絲，洋菇洗淨切對半，一齊放入步驟 2.中，加入調味料，淋上麻油即成。

變　化： 可用中筋麵粉、地瓜粉混合，揉成麵糰即是麵疙瘩。

材　料：
高筋麵粉 1 杯半
大白菜 1/3 顆
洋菇 5 朵
豆皮少許
冷水 1/2 杯

調味料：
鹽 2 茶匙
糖 1 茶匙
高湯 4 杯
麻油少許

我們人為什麼殺生？皆因貪心所致；為貪口腹或其他利益，才會殺生。

——宣化上人

傳統點心 **懷舊燒賣**

(約 15～20 個)

步　驟：
1. 豆腐洗淨，捏碎，擠出水份備用。
2. 沙葛去皮，切小丁。素碎末泡水，擠乾，醃上醬油膏備用。
3. 將步驟 1.2.及胡蘿蔔末混合，加入所有的調味料，拌勻即成餡備用。
4. 取皮一張，包入適量步驟 3.餡料，以拇指、食指收口成一個袋子狀，上置青豆仁一、兩顆，全部做完入蒸鍋蒸 5 分鐘即成。

皮的做法：　將材料 B.混合，略涼，揉成麵糰，分成 20 份，擀圓即可。

叮　嚀：
1. 皮的部份須用全燙麵，才不會失敗。
2. 麻油薑即是用麻油去爆薑。

變　化：　餡的部份，可改用油飯別有風味。

材　料：
A.豆腐 1 塊、沙葛(豆薯)少許
　素碎末 2 大匙、 胡蘿蔔末 1 大匙
B.中筋麵粉 1 杯
　滾開水 70cc、油 1 大匙

調味料：
醬油膏 1 大匙
沙茶醬 1 大匙
麻油薑 1 大匙
鹽少許
胡椒粉適量

粗飯養人，粗活益身。

——諺語

步　驟：
1. 糯米洗淨，瀝乾備用。
2. 將步驟 1.放入鹼水拌勻，隔 30 分鐘翻動一次，將底部的鹼水和米拌勻，如此，確定鹼水完全溶於米中，重復拌 3 次，放隔夜備用。
3. 粽葉洗淨，擦乾，取一片包入 1 大匙步驟 2.，全部包好後，入開水中煮 2 小時即成。

叮　嚀：
1.若使用鹼粉，直接拌入生米即可：不要加水。
2.鹼粽不能包入太多的米，包好時需搖動有聲才可。

變　化：

甜食可沾糖、或糖漿，鹹食可沾醬油膏。

材　料：
糯米 2 碗
鹼水 1 大匙（或鹼粉 1/4 茶匙）
粽葉 1 包

孟子云：「聞其聲不忍食其肉。」況學佛之人，豈可萌其殺念而招苦果？是故佛制弟子，若欲行仁，首持殺戒；殺戒若持，輪迴自息。

——虛雲老和尚

麻油薑桂圓

步　驟：
1. 老薑洗淨，切絲。先將桂圓肉，分開備用。
2. 鍋燒熱，入黑麻油及老薑絲，用中火炒，約 30 分鐘後，等薑絲轉為金黃色，轉小火繼續炒約 30 分鐘，再將撥散的桂圓肉倒入鍋內，維持小火，炒約 15 分鐘，直到桂圓肉的水分收乾即成。

叮　嚀：
1. 炒薑的時間比較久，要注意不要炒焦。炒薑時，如果油不夠，可隨時加入黑麻油。
2. 炒桂圓肉的時候，必須一直翻炒，讓桂圓肉受熱均勻，直到桂圓的水分完全收乾。水分收乾才可在常溫下保存。

變　化：　可用薑末代替薑絲，以節省炒的時間。

材　料：
桂圓肉 1 磅（450 公克）
老薑 300 公克
黑麻油 1/2 杯

殺者心不仁，強弱相傷殘，殺生當過生，結積累劫怨。
受罪短命死，驚怖遭暴患，吾用畏是故，慈心伏魔宮。
　　　　　　　　　　　　　　　——《八師經》佛偈

食物的五行

你若能知道調和五味這種的道理，這是一個養身最好的方法，比你吃多少維他命，
那更有功效、更好。

　　　　　　　　　　　　　　　　　　　　　　　　　——宣化上人

酸屬木，苦就屬火，辣就屬金，鹹就屬水，甜就屬土。來講一講吃東西，我相信很多人都歡喜聽這個，因為人人都要吃東西。「食色性也」，我們歡喜吃東西，歡喜看好顏色，這是與生俱來的一種習氣。你看小孩子一生出來，他就先要吃奶。沒有奶吃，他就哭；有奶吃，他就不哭了；餓了，他又哭；吃飽了，他又不哭了──這種就是與生俱來的一種性。可是我們吃東西，必須要知道我們應該吃什麼東西。

我現在把不傳之訣，不傳的秘密方法也傳給你們。本來不願意講的，因為西方人不了解這個道理；不單西方人不了解這個道理，就是東方人了解這個道理的也很少。這是什麼呢？酸、甜、苦、辣、鹹，這是五味。這五味屬五行──酸屬木，苦就屬火，辣就屬金，鹹就屬水，甜就屬土。

我們人吃東西，在春天的時候，不應該吃太多「酸」的，為什麼？春屬木旺，木最旺盛，你若再加上酸的東西，它更旺盛了。説：「更旺盛不好嗎？」過猶不及，太過了還是與不及是一樣的。那麼我們人這個身體需要補，春天木旺，木當令，因為春天萬物發生；酸就屬於木，在春天的時候不宜吃酸的。那麼少吃一點可以嗎？不要吃多，那就不是太過。酸就屬「肝」，你若在春天的時候，吃酸的東西吃多了，就會傷肝；傷肝呢，眼睛看東西就看不清楚了。

夏屬火旺。夏天的時候天氣很熱，所以是火旺。有人説：「夏天熱，那到澳洲，夏天六月是最涼的時候。」那是一個地方的氣候的關係，不是講普通的。所以夏天不要吃太多「苦」的，少吃一點可以的，不要吃多。怎麼説「苦」屬「火」呢？所有飲食的東西，你用火一燒，你再來一吃，它是很苦的，所以苦就屬於「心」。

秋天屬金，不應該吃辣的東西吃太多了；在秋天吃辣的東西吃太多了，就會傷肺。

冬天屬水，冬天吃鹹的東西不應該吃太多了；鹹的東西吃太多了，就會傷腎。

你若能知道調和五味這種的道理，這是一個養身最好的方法，比你吃多少維他命，那更有功效、更好。所以無論吃什麼東西，不要吃太多了；吃得多了，對人不但沒有益處，而且還有害處。

那麼說這個甜的呢？是在什麼時候吃？甜的東西，什麼時候都可以吃的，因為甜的是屬土，土旺於四季(四季就是春、夏、秋、冬)，都可以吃甜的。這個甜的東西對人沒有什麼大的害處，但是若吃得太多了，也沒什麼好處。

屬土的東西都是什麼呢？好像米、麵包這些個東西都屬土的，都有一種甜的味道；所以我們人有的吃麵包、有的吃飯，這因為我們人都需要這個東西。

以上是講這個飲食經，這個飲食的經你沒有地方聽去，因為佛沒有說過飲食經，佛說叫你「持午」、「日中一食」，要有次序。所以，我們人人要是知道這種道理，你吃什麼東西不要太過，就會很少生病；很少生病，這你身體就健康。身體健康，這是人生的一種幸福。

一個真實的故事 1
豬手劉先生

宣化上人

看完了「豬手劉」的故事，您還想吃肉嗎？

在我東北榆樹縣，有一位豬手劉先生——一位姓劉的人，但是他有豬蹄子。這豬手劉先生，他可以記得自己前三生的事情。

在最初，他對父親、母親是很好的，以後那一生，他就投生到一個很有錢的家裏。他父親大約四十多歲才生他這個兒子，等到他大約十三歲時就結婚了，娶一個比他年長一兩歲的太太。他父親雖然已經有五十多歲，但是婬欲心還不斷，又討個小老婆；這個小老婆，和兒媳婦年紀大約是差不多大的。豬手劉先生有了太太不到一兩年，就生了個兒子；等他這兒子到十三歲的時候，他又給他這兒子也結婚了，兒子的太太大約比他兒子大幾歲的樣子。

在這個期間，這個豬手劉先生——那時候他不姓劉，他的父親就死了，媽媽也死了，就剩他父親這個小老婆。他看他父親的小老婆生得很美麗，於是把他父親的這個小老婆也就佔有了，作為他自己的太太。這個時候，他兒子也死了，他一看這兒子的太太

149

相貌生得也很美麗，於是又把兒子的媳婦也作為自己的太太。拿他小的母親作為他的老婆，兒子的媳婦也作為他的老婆，這樣子「上烝其母，下婬其媳」。那時候他多大年紀呢？大約就在二十七、八歲左右。等他到四十幾歲了，他這時候才覺悟，心想：「唉，我這一生所造的罪業可造得多了！把自己的後母也作為自己的太太，把自己的媳婦也作為自己的太太，這罪業可造得不小。」於是他就學著信佛，念《金剛般若波羅蜜經》。

念了十幾年，等他到五十多歲的時候也死了，到閻羅王那地方。閻羅王就是在地獄裏頭管著這一切鬼的，是最惡不過的，沒有人情可講的，是黑臉的。到那兒，就審問他：「你為什麼盡造一些個惡業？現在應該把你放到油鍋地獄裏來炸！」於是叫來兩個鬼，就要把他放到油鍋去炸。這時旁邊有個判官說：「不可以的。」閻羅王問：「為什麼不可以？」判官說：「他因為念過《金剛經》，在他肚子裏頭還有《金剛經》存在。現在應該叫他先投生去，把這《金剛經》沒有了，才可以再用油鍋炸。」

於是就叫他又投生去做人，生到一個很窮的家庭裏去，他父母親就賣點心。這小孩子，從小就歡喜吃東西，把肚子吃得很大很大的，等到五歲時，得這個肚子大的病，就死了。他爸爸和媽媽一看，說：「哦，他肚子這麼大，裏頭不知有什麼，把他開開看一看。」就把肚子給剖開了，在肚子裏頭拿出一塊像金剛石那麼硬的東西。

這旁邊的鬼就說：「現在可以用油鍋炸他了！」把他帶到閻羅王那兒，閻羅王說：「現在可以先叫他投生做豬去。」他又投生做豬，被人家餵得很肥，然後被宰了，死了。回來閻羅王要把他用油鍋來炸，他說：「你不必炸我了！讓我還投生到世間去做人去，你給我留一隻豬手作證明，讓我勸令世間人不要造罪業！」閻羅王說：「這樣子也

好！」於是讓他來投生做人，姓劉。一般人因為他有個豬蹄子，都叫他做「豬手劉先生」。我見過這個人，並且和他談過很多的話，所以我才知道他記得自己這個事情很清楚。這就是由惡趣造成的因緣。

一個真實的故事 2
下跪求救的肥豬

宣化上人

「啊，這頭豬都會跪老修行，這真是有人性，牠也是人哪！」「噢，這頭豬有人性，那頭豬也是有人性的啊，我們不應該吃人啊！」

常仁大師是我東北人，沒出家前，在墳上守孝，人稱他是「王孝子」。在沒造三緣寺之前，老吳家請王孝子到他家裏去住，在那兒閉關。

閉關的時候，有一年六月二十六是馬王爺的生日。這一天，老吳家想要殺豬來賀馬王誕。這頭平時餵的肥豬，這天要殺牠了，這肥豬也大有點靈性，就跑了。跑了，有一些個短牆，隔著幾道短牆，牠都越牆而過。那麼就跑到大師閉關那個房裏去，向常仁大師跪下，眼睛就流淚，意思間，就要常仁大師救牠的生命，叫老吳家不要殺牠。這時候，這位大師就對牠說：「你在前生殺其他的豬，所謂殺人償命，欠債還錢。你殺人家，人家也要殺你，現在你要受這個果報，你趕快去認帳啦！你既然求我，等你被殺了之後，我來超度你去做人。你做人，因為你前生這種的際運，你要諸惡不作，眾善奉行。然後修道，將來證菩提果，得涅槃樂。啊，你不要扛債不還啦！」說完這幾

句話呢，這頭豬也就很聽話的，自己就跑到外邊去，循回舊路，心甘情願的被老吳家這些人把牠殺了。殺了之後，因為這個，以後常仁大師度這一百多口人全家都吃素了。

這個姓吳的家裏，開家庭會議一致通過。通過什麼呢？通過不殺生了，全家都素食。這全家素食，是不容易的。為什麼說不容易呢？人人都歡喜吃好東西。每個人自己想一想，吃東西的時候都歡喜吃有味的，啊，這滋味好的這東西！做工的時候呢，都想做省力的，做工就不願意費力，要做省事的；吃東西呢，就愛吃有味的。每一個人都是這樣子，歡喜吃好東西；沒有滋味的東西到口裏，好像喉嚨裏邊會說話似的，說：「不要叫它進來，不要叫它進來！」你們每個人迴光返照想一想，有沒有這個情形——沒有滋味的東西或者苦的東西，你吃到口裏：「啊，這苦啊，好苦啊，不要逼嚥到肚裏去了！」好像喉嚨和肚子是一黨，就是不叫你吃這東西。是不是啊？

那麼這全家都不吃肉呢？這肉是最香的，誰都願意吃肉的。一個人不吃肉容易，全家一百多口人不吃肉，這是一個不容易的事情、最難的事情。那麼最難，為什麼又能做到了呢？這是人家哪，都有一種慈悲心。這個慈悲心，一看見這頭豬跪在那地方，對著王孝子痛哭流涕。這一百多口人：「啊，這頭豬都會跪老修行，這真是有人性，牠也是人哪！」這個眾生看牠就變成有人性了：「噢，這頭豬有人性，那頭豬也是有人性的啊，我們不應該吃人啊！」為什麼他們不吃肉呢？

我那一天不是講：

肉字裏邊兩個人　　裏邊罩著外邊人
眾生還吃眾生肉　　仔細思量人吃人

「肉字裏邊兩個人」，在中文「肉」字裏邊有兩個「人」字，這個外邊呢，就是個什麼呢？就是口；你看這麼寫一筆，加上一橫，就是個口字。但是沒有加這一橫，這個就口張開了，張開幹什麼呢？吃肉呢！吃什麼肉呢？吃人肉！這一個裏邊吃了一個人，那個人呢，就又到外邊去拔一半，這是一半一半。怎麼說一半一半呢？你吃豬肉，就是一半豬一半人；你吃牛肉，就是一半牛一半人；你吃狗肉，就是一半狗一半人；你吃馬肉，也是一半馬一半人。一半一半，就是 half half 的意思，這一半，你要是不吃了，就可以沒有了；你要再吃，就變成一個了，不是一半；你吃多了，吃到你死的時候，就變成一個了。一個什麼？你吃豬肉就變成一個豬了，啊，這個人字就沒有了！所以這個吃「肉」，把「肉」這個「人」字沒有了，「人」字沒有了，那麼你吃豬就是豬了，吃牛就是牛了，吃馬就是馬了。

你看我們種田，你知道種田，你上一點肥田料，那個莊稼長得就肥。我們吃這個肉，吃豬肉、吃牛肉、吃馬肉，就好像要上肥田料似的；上肥田料，把你這個身體就保養的很好。可是人有死的時候，死的時候呢，你吃什麼就會變什麼！你種田，你上什麼肥田料，你看那個土也就有什麼味道。人家吃豬，你們各位都可以體驗到，自己都知道的，什麼呢？你吃豬，身上就有一股豬味；吃牛，就有一股牛味；吃馬，就有一股馬味；你吃洋蔥，身上就有一股洋蔥味。好像你們現在洋蔥味都很少了，美國人洋蔥味很大、很大的，尤其那股牛油味(奶油)。我自己知道，我吃牛油，身上就有一股牛油味，這即刻我就知道。吃什麼就有一股什麼味道，所以你吃豬肉就和豬合成一個了。那麼，現在我們這個吃東西就是開公司呢——開合股公司；你吃什麼就和什麼做一個合股的公司。因此，這個道理說出來無窮無盡的。

所以說「肉字裏邊兩個人，裏邊單著外邊人」，裏邊的人就是連著外邊的人。「眾生還吃眾生肉，仔細思量人吃人」，這個眾生，就是你吃我，我吃你，大家互相來開一

個大公司。吃來吃去，仔細的想一想，這是人吃人。

所以，這個姓吳的家裏，就不再殺生了。為什麼不殺生了？就因為看見這頭豬會哭，看見這頭豬會給這位老修行跪下。所以，把他們都感動得大人、小孩——小孩子：「這頭豬會給老修行跪著，這我也不再吃豬肉」；大人也說：「不要吃豬肉」。那麼全家通過，全家素食，都吃菜，不吃肉了，不再殺生了。

就是連吳家的催傭，這種田或者在家裏做工這些人，也都吃素了，不吃葷的。這老吳家催工人的時候，預先和他講明白了，譬如說是：「你到我這做工，一年可以賺八千塊錢，我現在給你九千，但是你不可以吃肉。」這工人雖然沒有肉吃，但是錢賺得多一點，所以也就歡喜。因為這個，他催的工人也都吃素。

我自己曾經親自去過這個姓吳的家裏很多次，有意無意之中，就談到這件公案。姓吳的家裏每一個人都知道這件事情，都告訴我：那頭豬怎樣跑啊，怎樣跳啊，從什麼地方跳過去呀，怎麼樣叫啊；他學那頭豬叫啊，在那地方學那頭豬跪著的樣子，所以我知道這件事情是真實的——他們連小孩都知道這件事情。我那時候年紀也不太大，和他們一般青年人一樣，問他們：「為什麼那頭豬會跪著呢？」他們說：「我也不知道。」我說：「你現在養的豬會不會跪？」他們說：「現在人不養豬了，怎麼知道牠會不會跪。」所以，這件事情是真真實實的。

姓吳的家裏受這件事的影響，其他人聽說發生這樣的事，也就很奇怪的。這附近所有各村裏面的人也都吃素了，這種吃素的風氣大開。啊，這老吳都吃素啦，老五弟也吃素了，老趙子也吃素了；「趙錢孫李，周吳鄭王」都吃素了，再等到「馮陳褚衛，蔣沈韓楊」聽說了，也都吃素了；這麼一影響，不但八個縣，就很多很多百家姓，甚至於就有九十九家都吃素了，所以說吃素的風氣大開。

法界佛教總會

美國「萬佛聖城」是西方佛教史上第一座大道場，它是宣化上人所成立的，乃西方佛教的發源地，所謂萬佛城，成萬佛，萬佛都來成。

而，萬佛聖城是「法界佛教總會」這把大傘蓋的總部。這把大傘，廣而言之是盡虛空、遍法界的；以我們這個世界來說，略而言之，就是所有宣化上人座下的道場、機構。

它　　　——以法界為體。
　　　　　——以將佛教的真實義理，傳播到世界各地為目的。
　　　　　——以翻譯經典、弘揚正法、提倡道德教育、利樂一切有情為己任。

為此，上人立下家風：
　　　　　凍死不攀緣，餓死不化緣，窮死不求緣，隨緣不變，不變隨緣。
　　　　　抱定我們三大宗旨：
　　　　　捨命為佛事，造命為本事，正命為僧事；
　　　　　即事明理，明理即事，推行祖師一脈心傳。

有人問：法界佛教總會自從一九五九年創立以來，它有多少道場？
　　　　　——近 30 座，遍佈美、亞洲、澳洲。
　　　　　　　其中僧眾本著上人所創的「六大條款」：
　　　　　　不爭、不貪、不求、不自私、不自利、不妄語為依循；
　　　　　　並恪遵佛制，日中一食、衣不離體。
　　　　　　持戒念佛，習教參禪，和合共住地獻身佛教。

又有人問：它有多少機構？
　　　　　——國際譯經學院、法界宗教研究院、僧伽居士訓練班、法界佛教大學
　　　　　　　、培德中學、育良小學等。

這傘蓋下的道場、機構，門戶開放，沒有人我、國籍、宗教的分別，
凡是各國各教人士，願致力於仁義道德、明心見性者，
歡迎您前來修持，共同研習！

法界佛教總會‧萬佛聖城
Dharma Realm Buddhist Association &
The City of Ten Thousand Buddhas
4951 Bodhi Way, Ukiah, CA 95482 U.S.A.
Tel: (707) 462-0939   Fax: (707) 462-0949
http://www.drba.org

國際譯經學院
The International Translation Institute
1777 Murchison Drive,Burlingame,
CA 94010-4504 U.S.A.
Tel: (650) 692-5912   Fax: (650) 692-5056

法界宗教研究院（柏克萊寺）
Institute for World Religions(Berkeley Buddhist Monastery)
2304 McKinley Avenue, Berkeley, CA 94703 U.S.A.
Tel: (510) 848-3440   Fax: (510) 548-4551

金山聖寺 Gold Mountain Monastery
800 Sacramento Street, San Francisco, CA 94108 U.S.A.
Tel: (415) 421-6117   Fax: (415) 788-6001

金聖寺 Gold Sage Monastery
11455 Clayton Road, San Jose, CA 95127 U.S.A.
Tel: (408) 923-7243   Fax: (408) 923-1064

法界聖城 City of the Dharma Realm
1029 West Capitol Avenue
West Sacramento, CA 95691 U.S.A.
Tel: (916) 374-8268   Fax: (916) 374-8234

金岸法界 Gold Coast Dharma Realm
106 Bonogin Road, Mudgeeraba, Queensland 4213,
Australia   Tel: (07) 5522-8788 Fax (07) 5522-7822

金輪聖寺 Gold Wheel Monastery
235 North Avenue 58
Los Angeles, CA 90042 U.S.A.
Tel: (323) 258-6668   Fax: (323) 258-3619

長堤聖寺 Long Beach Monastery
3361 East Ocean Boulevard
Long Beach, CA 90803 U.S.A.
Tel/Fax: (562) 438-8902

福祿壽聖寺
Blessings,Prosperity, and Longevity Monastery
4140 Long Beach Boulevard, Long Beach, CA 90807 USA
Tel/Fax: (562) 595-4966

華嚴精舍 Avatamsaka Vihara
9601 Seven Locks Road, Bethesda
MD 20817-9997 U.S.A.
Tel: (301) 469-8300

華嚴聖寺 Avatamsaka Monastery
1009 Fourth Avenue S.W.
Calgary, AB T2P 0K8 Canada
Tel/Fax: (403) 234-0644

金峰聖寺 Gold Summit Monastery
233 First Avenue,West,Seattle, WA 98119 U.S.A.
Tel: (206) 284-6690

金佛聖寺 Gold Buddha Monastery
248 E. 11th Avenue
Vancouver,B.C. V5T 2C3 Canada
Tel: (604) 709-0248   Fax: (604) 684-3754

法界佛教印經會 （美國法界佛教總會駐華辦事處）
Dharma Realm Buddhist Books Distribution Society
臺灣省臺北市忠孝東路六段 85 號 11 樓
11th Floor, 85 Chung-hsiao E. Road, Sec. 6, Taipei, Taiwan, R.O.C.
Tel: (02) 2786-3022, 2786-2474   Fax: (02) 2786-2674

法界聖寺 Dharma Realm Sage Monastery
臺灣省高雄縣六龜鄉興龍村東溪山莊 20 號
20, Tong-hsi Shan-chuang, Hsing-lung Village,
Liu-Kuei, Kaohsiung County, Taiwan, R.O.C.
Tel: (07) 689-3713   Fax: (07) 689-3870

佛教講堂 Buddhist Lecture Hall
香港跑馬地黃泥涌道 31 號 11 樓
31 Wong Nei Chong Road Top Floor,
Happy Valley, Hong Kong, China
Tel: (2)2572-7644 Fax: (2)2572-2850

般若觀音聖寺 （紫雲洞）
Prajna Guan Yin Sagely Monastery
Batu 5 1/2, Jalan Sungai Besi, Salak Selatan,
57100 Kuala Lumpur, West Malaysia
Tel: (03)7982-6560   Fax: (03) 7980-1272

蓮華精舍 Lotus Vihara
136, Jalan Sekolah, 45600 Batang Berjuntai, Selangor,
 Malaysia Tel: (03) 3271-9439

法緣聖寺 Fa Yuan Sagely Monastery
1, Jalan, Utama, Taman Serdang Raya,
43300 Seri Kembangan, Selangor, Malaysia
Tel: (03) 8948-5688

彌陀聖寺 Amitabha Monastery
臺灣省花蓮縣壽豐鄉池南村四健會 7 號
7, Su-chien-hui, Chih-nan Village, Shou-Feng,
 Hualien County, Taiwan, R.O.C.
Tel: (03) 865-1956   Fax: (03) 865-3426

慈興禪寺 Cixing Monastery
香港大嶼山萬丈瀑
Lantou Island, Man Cheung Po
Hong Kong, China
Tel: (2)2985-5159

法界觀音聖寺 （登彼岸）
Dharma Realm Guan Yin Sagely Monastery
161, Jalan Ampang, 50450 Kuala Lumpur, Malaysia
Tel: (03) 2164-8055   Fax: (03) 2163-7118

馬來西亞法界佛教總會檳城分會
Malaysia Dharma Realm Buddhist Association
Penang Branch
No. 32-32C, Jalan Tan Sri Teh Ewe Lim,
11600 Jelutong, Penang, Malaysia
Tel: (04)281-7728 Fax: (04)281-7798

觀音聖寺 Guan Yin Sagely Monastery
166A, Jalan Temiang, 70200 Seremban,
Negeri Sembilan, West Malaysia,
Tel/Fax : (06)761-1988